RENDEZ-VOUS AVEC L'ISLAM

DU MÊME AUTEUR

Dans la même collection :

L'Odyssée américaine, 2005.
Au fil des jours cruels, 1992-2002, 2004.
J'ai vu finir le monde ancien, 2003.

Chez d'autres éditeurs :

Le Rapport de la CIA : comment sera le monde en 2020 ?,
    (dir.), Pocket, 2006 ; Robert Laffont, 2005.
Le Communisme, PUF, 2001.

ALEXANDRE ADLER

RENDEZ-VOUS AVEC L'ISLAM

HACHETTE
Littératures

Collection fondée par Georges Liébert
et dirigée par Joël Roman

ISBN : 978-2-0127-9354-5

Wem sonst als Dir

L'auteur tient à remercier tous ceux, diplomates, journalistes, militants et simples citoyens de la Turquie et de l'Iran ainsi que du monde arabe, sans le concours desquels ce livre n'aurait pu exister.

Introduction

La question de l'Islam

Nous avons rendez-vous avec l'Islam. Ce rendez-vous est quotidien dans nos villes d'Europe et de plus en plus d'Amérique. Il présente souvent un visage apaisé et optimiste. Mais il comporte aussi sa part de négativité, comme tout grand événement historique. Nos villes endeuillées par le terrorisme aveugle et haineux, New York, Moscou, Madrid ou Londres portent le témoignage souvent poignant de la réalité de cet affrontement. C'est pourquoi peu de monde en Occident doute, depuis le 11 septembre 2001, que nous soyons entrés dans une phase de confrontation active avec le monde de l'Islam. Mais confrontation n'est pas seulement conflit, ni nécessairement, ni inéluctablement. Relégué longtemps dans une friche folklorisée de notre imaginaire – Delacroix, Rimsky-Korsakov, Durrell – l'Orient musulman a fait un retour spectaculaire sur la scène de l'histoire dans le dernier demi-siècle. Ce court essai, qui ne peut que décevoir par sa sécheresse délibérée le spécialiste ou l'érudit, a pour but essentiel de réfuter concrètement et sur le terrain de la géopolitique régionale, les préjugés courants sur ce monde, qui se sont notamment exprimés à l'occasion de la candidature européenne de la Turquie, à laquelle je suis personnellement très favorable. Mais il reste aussi à faire comprendre l'enjeu majeur que représente la transformation, parfois opaque, mais capitale, qui affecte l'Iran, et à travers lui le chiisme, composante minoritaire mais essentielle de la pensée et de la vie islamiques.

Un traité qui viserait à l'exhaustivité se devrait de parler de la même manière de ce troisième pilier de la modernité démocratique musulmane que représente le Maghreb arabo-berbère, véritable héritier du grand essor de civilisation qui s'appelle l'Andalousie médiévale, laquelle, expulsée d'Espagne, s'est prolongée par sa musique, sa culture et son ouverture sur le monde, à Fez, Alger, Tunis. Il devrait aussi mentionner le dynamisme de la société civile pakistanaise, souvent à l'opposé des conceptions autoritaires de son armée, et l'admirable essor de l'Asie du Sud-Est malaise, en pleine réinvention de la démocratie après une éclipse autoritaire de quarante ans.

Mais nous avons préféré nous concentrer sur les deux sujets géopolitiques qui nous semblent aujourd'hui déterminants : la Turquie et l'Iran, qui dos à dos comme deux frères dissemblables, mais intimement liés par une longue histoire commune, combattent aujourd'hui, chacun à leur manière, pour le triomphe d'une certaine modernité.

Modernité : le mot est lâché, et il s'oppose à l'archaïsme que l'on constate aussi dans ces sociétés, à présent étroitement associé à la vague encore montante de l'islamisme radical, sur des sujets aussi divers que la condition des femmes, le statut des minorités, le pluralisme politique et la liberté de conscience, la souveraineté de l'Etat. Ici s'ouvre donc un combat sur deux fronts, qui constitue le fil rouge de ce petit essai : pour l'Islam, contre l'islamisme. Exprimé de la sorte, ce slogan ramassé ne fait que des heureux, ou presque.

Mais à y regarder de plus près, la clarté de cette prise de position apparemment si politiquement correcte oblige, si on la prend véritablement au sérieux, à ce combat sur deux fronts lequel s'avère plus complexe qu'on ne l'imagine. Et « last but not least », l'usage de l'arme terroriste des déserts du Darfour à la City de Londres. Miroir d'une véritable pulsion génocidaire qui fort heureusement ne parvient pas encore à s'assouvir.

Plaçons à un bord les thèses, désormais bien connues, de Samuel Huntington : pour celui-ci, après la phase mondialiste de la guerre froide où Rouges et Bleus se partageaient la terre entière, dans une apparente convergence des idées directrices, applicables de la Norvège à l'Indonésie, et du Chili au Japon, nous serions retombés sur des identités désormais culturelles, partagées par plusieurs nations réunies par un capital de valeurs communes. Souvent taillé sur mesure pour justifier (parfois fort mal) les préjugés de notre temps, le modèle huntingtonien fonctionne très approximativement en Amérique (où les Argentins, les Chiliens et les Mexicains sont ordinairement, par lui, exclus de l'Occident), encore plus mal en Asie (où l'auteur se contorsionne pour inventer une civilisation japonaise distincte de celle de la Chine), mais semble photographier le moment actuel d'affrontement entre l'Islam et ses voisins, juifs et chrétiens, en Bosnie, à Chypre, dans le Caucase, en Palestine, il y a peu encore, au Liban, ou encore indiens au Cachemire, africains au Darfour ou à Dakar ainsi qu'aux lisières du Sahel. Nous espérons dans ce texte pulvériser les préjugés fort peu sympathiques qui sont les déterminants de la thèse de Huntington : le principal conflit actuel dans la région ne se joue pas sur ses confins tuméfiés que nous venons d'énumérer, mais bien au contraire, au cœur de l'Islam lui-même, avec des personnages capitaux pour l'avenir démocratique de notre monde comme le regretté Ahmed Shah Massoud en Afghanistan, Kemal Dervis en Turquie, les frères Khatami en Iran, le défunt Rafic Hariri au Liban, ou encore les chefs du gouvernement irakien, Jaafari, Sharestani, Alaoui ou Abdel Aziz Al Hakim. Ce sont ces hommes et de plus en plus ces femmes qui ont fait ou qui feront la nouvelle modernité de l'Islam, forgée dans un combat souvent admirable de résolution, où l'on retrouve des musulmans à la piété nullement inférieure à celle de leurs ennemis islamistes, associés à des laïques parfois voltairiens. C'est le combat qui se mène aujourd'hui au cœur de l'Islam qui est déterminant dans le recul de l'islamisme, ce que la thèse du « conflit des civilisations » interdit de penser comme de comprendre.

Mais nous avons parlé du combat sur deux

fronts, le voici en effet. On sait que les thèses nationalistes intégrales et sophistiquées du défunt essayiste palestinien Edward Saïd voulaient interdire tout discours venu de l'Occident, qui prétendrait juger et trancher d'une civilisation, réputée organique, qu'il faudrait par conséquent adopter comme un tout signifiant et également admirable en chacun de ses points. Les mânes de mon ami Michel Foucault furent même convoqués pour autoriser cette imposture.

Pour nier la réalité de la menace islamique et des combats qui rythment l'évolution politique de ce monde, pourtant si voisin du nôtre, les érudits populistes qui dominent parfois les études orientales, et se réclament du culpabilisme transi d'Edouard Saïd et de ses émules ont donc cherché, avec la même vigueur que les suppôts de Huntington, de l'autre côté de la barricade, à nier la réalité du conflit, ou les différences profondes qui s'instaurent entre les diverses terres de l'Islam. Il est évident par exemple que l'évolution de l'Egypte vers l'intégrisme des Frères musulmans et celle de l'Iran vers une démocratie laïcisée, hoquetante encore, se font rigoureusement en sens inverse. Dans son usage à destination du grand public, les auteurs de ce courant tendent donc à nier la dialectique historique véritable au profit d'une vision organiciste et immobiliste de l'Islam, qui se veut bizarrement progressiste. On nous expliquera alors doctement que le peuple et ses dirigeants sont pour l'essentiel unis, de l'Irak à l'Arabie saoudite actuelle, de l'Iran mollacratique à l'Afghanistan des talibans, etc. Seuls échappent à cet irénisme, apparent évidemment, les vrais modernistes, militaires algériens, démocrates turcs ou libéraux pakistanais, réputés eux inauthentiques, dans le sabir heideggéro-marxiste qu'affectionne cette pensée.

Ce petit essai, peut-être trop ambitieux, ne se donne pour excuse que l'urgence extrême de balayer ces idéologies dangereuses, pour dégager la voie de nos retrouvailles avec l'Islam, un rendez-vous où la modernité, nous le verrons, ne se trouve jamais d'un seul côté du miroir.

Le cœur blessé de l'Islam

Au cœur de notre nouveau monde, un espace relie entre eux tous les autres. C'est le monde de l'Islam : il côtoie l'Occident européen du détroit de Gibraltar à la steppe kazakhe, en passant par Sarajevo, Istanbul, le nord du Caucase et la Caspienne ; il jouxte douloureusement l'Asie sinisée au Xinjiang, et de manière plus rieuse à travers le monde malais ; il avance au sud du Sahara, surface plutôt que ligne, pour arrimer les deux Nil l'un à l'autre, le Blanc et le Bleu, au sud de Khartoum, et contourne le massif éthiopien, pour longer la côte africaine de Djibouti à Zanzibar, jusqu'aux Comores. Il entretient avec le monde indien le rapport le plus complexe qui soit, tout à la fois interne et externe. Seul le Nouveau Monde, pour autant qu'on doive le distinguer de l'Occident européen, héritier celui-ci de l'ancien monde antique, n'entretient avec l'univers de l'Islam que des rapports plus distants, autrefois plus lointains, malgré la précoce incursion des « marines » américains à Tripoli dès le début du XIXe siècle. On sait qu'il n'en va plus de même depuis 1945 au moins : tour à tour, la tentative de symbiose pétrolière entre Etats-Unis et Arabie saoudite, le rapprochement de plus en plus intense d'Israël et de l'Amérique, l'émigration tant aux Etats-Unis qu'en Amérique latine des Arabes chrétiens, puis des Arabes chiites, et enfin depuis 1979 des Iraniens en Californie, ont fini par avoir raison de l'isolement relatif des Nouveaux Mondes : la frontière, pour ne pas être linéaire (sauf peut-être, et ce n'est pas rien, entre un protectorat américain de facto d'Israël et un Etat palestinien à définir), n'en est pas moins bien réelle. Le glacis maritime et insulaire qui sépare à Timor, aux Moluques ainsi qu'en Nouvelle-Guinée le foyer javanais de l'Indonésie d'une Australasie anglo-saxonne, totalement liée aux Etats-Unis, achève la définition de ce monde central, de ce cœur souffrant et parfois sanglant de l'humanité que constitue aujourd'hui l'Islam.

Cœur souffrant : dans sa dernière mouture, vers le milieu du XVIIe siècle, l'organisation politique de l'Islam était encore simple et prestigieuse : vaste empire tourné vers l'Ouest, le sultanat ottoman contrôlait, depuis Istanbul, l'Europe du Sud-Est jusqu'à Budapest, la Grèce et l'Anatolie, le Proche-Orient arabe et l'Egypte, l'Algérie, la Tunisie et la Libye actuelles ; il étendait son hégémonie sur les musulmans de l'espace russo-eurasiatique, en Crimée, au Kouban et jusqu'aux cimes du Caucase. Symétriquement, à l'est, une deuxième dynastie turque, qui pouvait se targuer, par Tamerlan, de descendre de Gengis Khan, était parvenue à unifier virtuellement toute l'Inde, en y associant Afghanistan, Baloutchistan et Asie centrale. Ces « Grands Moghols », à la fortune impressionnante, tenaient la dragée haute aux marchands-pirates européens qui déjà s'agglutinaient le long de leurs côtes. Mais ils reconnaissaient aussi sans ambages la suprématie religieuse du sultan de Constantinople comme calife ou « commandeur des croyants » (Amir Al Mouminin). Tout autre l'attitude du troisième empire, non moins turc dans sa culture étatique fondamentale, mais tendu dans l'affirmation, explicite et hautaine, de la supériorité du « chiisme des douze imams », implicite et tenace de la prégnance de la pensée persane, l'Iran des Safavides, interposé entre le Grand Turc et le Grand Moghol. Et aux frontières, un sultan indépendant, au Maroc, héritier de l'Andalousie médiévale, était reconnu par les Ottomans et contrôlait les pistes sahariennes jusqu'au Niger actuel, tandis qu'un autre sultan, maritime celui-là, en Oman, maintenait une théocratie vaillante le long de la côte d'Afrique, à Zanzibar et aux Comores, et poussait ses vaisseaux jusqu'à la pointe de Sumatra. Seuls, craquements prémonitoires de la catastrophe à venir, les rajahs musulmans de Java, de Mindanao et de Célèbes, étaient passés progressivement sous la domination des Espagnols, des Portugais et surtout de la Compagnie hollandaise des Indes orientales. Et les Tatars de Kazan, ainsi que leurs alliés de l'Oural et de la Volga, étaient devenus sujets du tsar de Russie, tout comme naguère les Russes orthodoxes avaient été les leurs.

Mais, pour l'essentiel, la présence de l'Islam faisait encore trembler l'Europe sur le plan militaire, impressionnait marchands et philosophes de l'Occident par la profondeur et le chatoiement de ses richesses, les spirituelles un peu plus tard pour les esprits les plus grands, et les temporelles tout de suite pour les plus matérialistes, sensibles, tel Monsieur Jourdain, à toutes les turqueries.

Un siècle et demi plus tard, Bonaparte aura conquis l'Egypte et Warren Hastings le Pendjab, bientôt l'Afrique du Nord tombera comme un fruit mûr dans les mains de la France, le Caucase et le Turkestan dans celles de la Russie, l'Angleterre scellera à Khaïber et sur l'Indus les portes de l'Inde et tiendra à bout de bras l'unité précaire et de plus en plus aléatoire d'un empire ottoman ne survivant que grâce aux querelles de bornage entre Européens. C'était déjà le commencement de la fin, entre 1800 et 1850. Au début du XXe siècle, la conquête franco-espagnole du Maroc, italienne de la Libye, le protectorat britannique sur l'Egypte et l'Afghanistan, le partage de l'Iran en deux zones d'influence russe et anglo-indienne, l'effondrement de la Turquie d'Europe après les guerres balkaniques de 1912, précédées de l'annexion totale de la Bosnie à l'Autriche-Hongrie dès 1909, l'isolement d'une petite Albanie orpheline de la grande Turquie, l'exode des musulmans des Balkans et du Caucase vers ce qui reste d'empire ottoman, la dépendance de plus en plus nette de cette ultime construction politique de l'Islam, vis-à-vis d'une Allemagne qui construit ses chemins de fer et instruit son armée, tous ces faits, pris ensemble, sonnent le glas définitif du rêve de la cité sainte des califes. Celle-ci avait été édifiée d'une main ferme par le Prophète, dès qu'il eut retourné son exil de Médine contre le paganisme de La Mecque, ainsi que contre l'opposition de ses anciens alliés juifs du Hedjaz, juifs et païens alliés et réunis de longue main par l'influence perse, et formant ainsi contre les premiers musulmans une coalition que le Coran désigne déjà comme l'ennemie la plus coriace de l'Islam (bien davantage que les chrétiens dont le Prophète vantera la vertu, chez certains moines à tout le moins). Dans l'ordre croissant de menace, laïques musulmans, perses, juifs. Rien n'a changé aujourd'hui[1]. Car cette cité sainte en construction que devrait être l'Islam, tombait sous les coups d'un Occident réunifié, pour voir réapparaître en Inde et en Turquie le spectre de la Djahillyah, le paganisme, déjà allié aux juifs communistes de Russie et sionistes de Palestine, plus à l'est, fiancé aux hindous laïcisés et anglicisés. La catastrophe semblait donc totale.

Le scandale est alors non moins absolu pour la pensée islamique traditionnelle qui ne peut que faire corps avec ce projet théologico-politique, et ne peut faire de place à l'idée de mise à l'épreuve

---

1. La Turquie et la Tunisie modernes inspirent beaucoup de laïques et de musulmans modérés en Algérie comme en Iran, l'Iran se redresse face au nationalisme arabe reconverti en islamisme radical, Israël s'obstine à survivre aux coups qui lui sont infligés, et même, de temps à autre, à vivre tout simplement.

venue de Dieu, si centrale dans le judaïsme et le christianisme.

Certes, le moment actuel (ou du moins celui qui le précédait, la période qui va de 1950 à 2000) pouvait sembler avoir dressé la scène d'un rétablissement spectaculaire : dès 1919, la Turquie, réduite à l'Anatolie centrale, relève la tête et, aidée par la jeune Union soviétique, inflige une spectaculaire défaite à ses ennemis, notamment grecs et anglais. Bien vite, Iran et Afghanistan suivent l'exemple turc et commencent une émancipation qui ne sera complète qu'après la nationalisation du pétrole de la société Anglo-Iranian par Mossadegh en 1951. Les Arabes retrouvent peu à peu leur autonomie à la suite de l'Egypte (1924) et, après 1945, leur indépendance véritable, achevée à la fin des années 1960 par l'évacuation d'Aden et du golfe Persique par les Britanniques. A son tour, le Maghreb s'émancipe, de 1952 à 1962. Le Pakistan était déjà né du regroupement de la majorité des deux tiers des musulmans de l'empire des Indes en 1947, et l'Indonésie devient indépendante en 1948, suivie de la Malaisie au début des années 1960. Les années 1980-1990 verront enfin, avec la dissolution pacifique de l'Union soviétique, puis sanglante de la Yougoslavie, la renaissance, ou tout simplement la naissance, de nouvelles identités musulmanes, depuis l'Adriatique jusqu'à la frontière chinoise. Aussi, le cœur blessé de l'Islam aura-t-il eu, en cette fin du XXe siècle, de quoi se réconforter : les Européens et les juifs ont été expulsés de facto du Maghreb et d'Egypte, les Africains continuent d'être assujettis en Mauritanie et au Soudan, les Bosniaques et les Albanais du Kosovo l'ont emporté de haute lutte sur les nationalistes intégristes serbes, devant le refus grec de tout compromis, la partition de Chypre est à présent confortée par l'ONU elle-même, les ressources pétrolières de l'Orient arabe ont toutes été nationalisées et gérées par un cartel largement musulman, l'OPEP (seuls hôtes étrangers, les Vénézuéliens et, dans une certaine mesure, les Nigérians), les chrétiens du Liban ont été contraints d'en rabattre, les Russes, chassés d'Afghanistan, ont aussi plié bagage au Caucase et en Asie centrale (avec la seule exception de l'ensemble kazakh/kirghize); même les Philippins se sont résolus à reconnaître un territoire musulman autonome à Mindanao et aux îles Soulou, tandis que les chrétiens moluquois viennent d'être sévèrement ramenés dans l'unité indonésienne par des djihadistes déchaînés.

Pourtant nul, dans le monde musulman, ne serait d'accord avec ce bilan optimiste, au moins du point de vue d'un Islam conforme et même conformiste, que j'adopte ici dans un dessein pédagogique.

Il ne s'agit pas tant de la pauvreté relative (inférieure le plus souvent à celle que l'on rencontre encore dans certaines régions d'Amérique latine – Bolivie, Guatemala – ou d'Asie – Birmanie, Cambodge – pour ne pas parler de l'Inde rurale ou de l'Afrique). Ni même des quelques échecs politico-stratégiques subis par les Ouïghours au Xinjiang face à la Chine, les insurrections oromo et somalie en Ethiopie, les Touareg au Mali et au Niger, face à l'Afrique, voire les musulmans du Cachemire face à l'Inde. (Au Caucase russe, les Tchétchènes et leurs alliés potentiels n'ont pas encore dit leur dernier mot.) Non, le mal est en réalité plus profond. Pour le dire avec Ben Laden que l'on eut du mal initialement à bien comprendre dans sa rhétorique elliptique et historiciste, depuis quatre-vingts ans (1924 pour être précis), les musulmans sont dans la peine, parce que le califat a été aboli et jamais rétabli, malgré les velléités égyptiennes des années 1930. Le redressement turc des années 1920 aurait pu être célébré comme la plus prometteuse des victoires de l'Islam en voie de résurrection. Mais son sens aura été totalement perverti, selon les islamistes, par la victoire, au sein du mouvement national turc, d'un groupe de militaires et de fonctionnaires ottomans, pour la plupart francs-maçons, totalement imprégnés des idées occidentales, républicaines de type français en particulier. La contagion de ces idées nouvelles sera rapide dans l'Iran voisin, l'Afghanistan des années 1920, et bientôt dans le monde arabe lui-même où les officiers libres égyptiens réinventent une version idiosyncrasique plus souple du laïcisme turc, puisque l'Islam y est présenté en apparence comme religion d'Etat, mais, par là même, ce laïcisme incomplet des nationalistes arabes incarne une variante, plus séduisante et moins rigoureuse pour les masses populaires attirées partout, de Casablanca à Bagdad, par le nouvel idéal jacobin et étatique, qui fut celui plus pur de Mustafa Kemal avant de devenir celui de Nasser, du Baas et des socialismes d'Etat du Maghreb.

Les communistes, à leur tour, ne tardent pas à obtenir droit de cité, au prix de la marginalisation définitive de leurs militants juifs et chrétiens, en raison de l'alliance de plus en plus solide de ces nouveaux nationalistes, parfois même en Turquie et en Iran, et de l'Union soviétique post-stalinienne. Il faudra attendre l'invasion de l'Afghanistan en 1979 pour assister à une spectaculaire inversion de tendance.

Mais plus grave et presque concomitant : au moment même où Mustafa Kemal destituait le califat à Istanbul, le mouvement sioniste commençait à s'emparer définitivement de la Palestine mandataire, créée à son profit par l'Empire britannique. Dans l'esprit de beaucoup de musulmans, les deux éléments sont étroitement liés : ce sont les Jeunes-Turcs laïques qui, après la révolution constitutionnelle de 1908, ont déjà permis, contre les idées du sultan « rouge » Abdül Hamid, l'installation des premiers sionistes dans la Palestine ottomane, prélude à la catastrophe de 1917-1918. Ce sont les sionistes tels que David Ben Gourion et Ytzhak Ben Zvi, qui, dès avant 1914, n'ont cessé de courtiser la nouvelle Turquie et soutenu ses diverses causes, jusqu'à l'adhésion pure et simple des deux hommes au mouvement Jeune-Turc. Ce sont enfin les successeurs militaires et civils d'Atatürk, qui n'ont eu de cesse de conforter l'Etat hébreu, jusqu'à l'alliance militaire actuelle conclue contre les menaces syrienne, irakienne et iranienne après la guerre du Koweït de 1991 : pour les islamistes turcs par exemple, mais ils ne sont pas seuls à le penser, il s'agit d'une conspiration pure et simple, liant en un seul faisceau les francs-maçons kémalistes, les communistes pro-soviétiques, et les juifs (*Maskomya*, en abréviation turque).

La laïcité turque et ses émules n'auraient donc cessé de détourner et d'inverser le sens des plus grandes victoires des musulmans. La décision de Sadate de se rendre à Jérusalem, après le sacrifice de ses soldats et de ceux de la Syrie dans la guerre du Kippour de 1973, la décision de Hafez Assad de retourner ses armes contre Palestiniens et islamo-progressistes libanais en 1976, au moment même où s'effondrait sous leurs coups le réduit chrétien de la Montagne, celle enfin de Saddam Hussein de lancer ses légions panarabes contre le régime islamiste de l'ayatollah Khomeyni, complètent aux yeux de nombreux musulmans pieux le bilan de faillite du laïcisme.

Certes, l'Amérique a peu à peu pris le relais des puissances européennes, France et Angleterre en particulier, dans une visée hégémonique qui menacerait, aux yeux de beaucoup, d'annuler les acquis du dernier demi-siècle. Mais rien ne serait possible si le ver n'était pas dans le fruit, si le paganisme que Mahomet dut combattre si durement chez ses compatriotes mecquois n'était réapparu en masse (avec ces réhabilitations des Achéménides et des Sassanides en Iran par le chah, des Assyro-Babyloniens en Irak par le Baas, des Pharaons par Nasser, et des héros berbères en Afrique du Nord par le FLN), divisant les musulmans d'abord, les livrant à leurs ennemis divers ensuite. Voilà pourquoi le cœur de l'Islam contemporain n'est pas seulement contrit, il est aussi devenu sanglant, de la *fitna*, de la dissension et des divisions qui sont nées en son sein.

« Sans cette continuelle *fitna*, nous assènent les islamistes contemporains, il n'y aurait pas eu de déclaration Balfour en 1917, quand les Hachémites de La Mecque se révoltaient injustement contre le calife d'Istanbul ; il n'y aurait pas aujourd'hui d'Etat d'Israël, cette verrue insupportable fichée au cœur du monde musulman, ou encore ce poignard acéré qui sépare depuis 1948, l'Islam d'Afrique du Nord égypto-maghrébin et celui d'Orient turco-irano-syrien. Le sang versé et l'intense affrontement entre musulmans, au Sahara entre Algériens et Marocains, pendant vingt ans, en Algérie pendant la guerre civile des années 1990, au Yémen entre partisans de Nasser et conservateurs sunnites pro-saoudiens, dans les insurrections kurdes d'Irak, d'Iran et de Turquie, dans les répressions successives qu'a fait subir l'Etat iranien lui-même à ses divers opposants (car ils ne le tiennent pas non plus, cet Etat, pour authentiquement islamiste), et encore dans le tourbillon afghan de ces quinze dernières années, dépassent de beaucoup en intensité et en cruauté, le prix du bon combat djihadiste, c'est-à-dire les sacrifices consentis par les musulmans contre la France en Algérie, Israël en Palestine et au Liban, l'Arménie au Karabakh, la Russie en Afghanistan puis au Caucase, la Serbie dans les Balkans et l'Inde au Cachemire. » Tel est le discours que tiennent aujourd'hui les nouveaux adorateurs d'Oussama Ben Laden.

Si l'on ajoute à ce terrible bilan la longue guerre du Golfe entre l'Irak de Saddam Hussein et l'Iran de Khomeyni (1980-1988), qui aura en tout fauché de part et d'autre plus d'un million d'hommes, on en arrive, surtout chez les intégristes, vu la faillite de la totalité des régimes actuels, à rêver d'une refondation radicale des idéaux politico-théologiques de l'Islam.

Telle est la terrible clef de lecture que de très nombreux musulmans adoptent aujourd'hui de par le monde. Pour eux, il n'y a point de salut dans le rattrapage de l'Occident, dans l'adoption de ses mœurs et de ses lois, mais au contraire, par priorité, dans la reconstitution politique, morale et stratégique d'un grand ensemble géographique qui retrouve la respiration civilisatrice de cet espace naguère presque unifié. Partout, au Maghreb, en Egypte, en Arabie, en Turquie, au Pakistan, en Indonésie ou en Asie centrale, une génération se lève pour réclamer une autre politique, « un autre monde ». Certes, Oussama Ben Laden apparaît à beaucoup d'entre eux comme un « primitif de la révolte », pour reprendre l'expression de l'historien britannique Eric Hobsbawm, une sorte de Pisacane[1] d'un Risorgimento à venir. En réalité, beaucoup d'islamistes reconnaissent en Ben Laden un élément précurseur ayant eu l'audace exceptionnelle de frapper l'ennemi en son cœur occidental. Son sacrifice

---

1. Pisacane, révolutionnaire exalté membre d'un groupe radical des Carbonari, fusillé en 1837 lors d'une expédition désastreuse à Sapri en Calabre, qui visait à renverser les Bourbons de Naples. Mazzini et Garibaldi le salueront comme un précurseur aveuglé mais courageux. Gramsci sera plus nuancé dans ses salutations, soixante ans plus tard.

probable permettra par la suite de faire rêver les musulmans, autour de la légende néo-guévariste de son martyre, et de les amener peu à peu vers une forme plus souple et plus subtile de califat, celle que méditent les chefs de l'islamisme politique et religieux de l'Egypte et de l'Arabie saoudite, les membres les plus conservateurs de la famille royale des Saoud, les militaires pakistanais les plus attachés au programme nucléaire de leur pays, les dignitaires malais et indonésiens les plus tournés vers le monde arabe.

Quelles que soient les réserves tactiques et les prudences langagières, le projet est là, relayé dans les madrasas de Karachi, les oratoires de nos banlieues, les associations caritatives infiltrées de longue main avec la bénédiction initiale de la monarchie saoudienne, les regroupements des déçus de la révolution iranienne et les volontaires du Djihad en Irak. Ce projet n'est pas une aberration. C'en est assez des idéologues panglossiens qui nous cachent le thermomètre depuis une bonne décennie : non, l'islamisme n'est pas une invention d'esprits chagrins en Occident. L'islamisme existe. Il se développe parce que tout simplement les idées mènent le monde.

Or l'islamisme est une grande et ténébreuse idée qui plonge ses racines dans l'histoire de l'Islam la plus ancienne, une passion forte et cruelle qui s'empare tous les jours des corps et des têtes en désarroi, mais aussi d'esprits retors et aigus, comme nous en connaissons en Occident chez nos divers intégristes – pas seulement musulmans ; l'islamisme est aussi un puissant mouvement tout à la fois conservateur et révolutionnaire, l'esprit d'une contre-révolution consciente et assumée qui se dresse contre une non-révolution, la mort du communisme et l'extension très rapide du marché mondial. L'islamisme est aussi un ennemi du genre humain, comme l'étaient la plupart des différents fascismes occidentaux, comme ne l'était pas le communisme qui maintenait, envers et contre tout, une tension émancipatrice que l'on cherche vainement au Caire et à Karachi, à Riyad et à Téhéran, chez ceux qui font profession de restaurer la grandeur perdue de l'Islam.

Surtout, l'islamisme est un programme cohérent qui se substitue point par point à celui, autrefois prévalent, du laïcisme nationaliste modernisateur, de droite ou le plus souvent de gauche [1]. Les modernes de l'Islam pensaient que

---

1. Car même lorsque le modernisme fit le choix du camp américain dans la guerre froide, comme ce fut constamment le cas du Maroc, de la Tunisie, de l'Égypte de Sadate, de l'Iran du chah, ou de

la clef du problème résidait dans l'Etat : en le transformant en une machine efficiente, centralisée et utilitariste, ils pourraient accélérer le développement économique et culturel, atteindre le niveau de performance de l'Occident et se doter d'armées puissantes qui seraient l'instrument d'une politique étrangère solide, capable d'insérer les nations musulmanes dans la communauté internationale au rang qui serait compatible avec leur dignité. Les islamistes, eux, sont résolument du côté de la société : ils ne trouvent rien à redire à la famille traditionnelle, du moins telle qu'ils la réinterprètent, et attendent d'une restauration de leur ordre légal et coutumier des effets positifs sur un Etat qu'ils ne veulent plus tout-puissant : à l'unité de l'exécutif, ils préfèrent la polysynodie, la valse des différents conseils. A l'autorité de la loi moderne, ils opposent la

---

la Turquie militaire, les détenteurs du surmoi de ces régimes étaient toujours des hommes de gauche qui avaient pensé les priorités de l'heure, parfois trop radicalement dans la pratique : c'est le grand écrivain communiste Nazim Hikmet qui exprime la vérité profonde du kémalisme, c'est Mossadegh foudroyé qui guide les pas du chah dans sa « révolution blanche » en agriculture comme dans sa politique pétrolière agressive. Même gémellité troublante entre Hassan II et Ben Barka, Bourguiba et Ben Salah. Qu'il me soit ici permis de rendre l'hommage qu'il mérite au grand penseur marxiste égyptien Lotfi Elkholi, qui bien avant le tournant de 1973 formula toute la politique égyptienne de solution politique avec Israël. Sans lui, Sadate n'eût tout simplement pas vu le jour.

jurisprudence constamment évolutive, mais ces derniers temps, toujours dans le sens de la restriction, des docteurs de l'Islam. A la volonté du despote éclairé, ils substitueraient bien volontiers la concertation du Majlis-e-Shoura, c'est-à-dire non pas la représentation authentique d'une population qu'il faut toujours guider et contenir, mais l'affirmation de la prééminence des Compagnons du Djihad qui ont accès, par leur mérite, à la délibération. A la réglementation protectionniste des petits Etats issus de l'explosion du califat, ils entendraient bien également substituer la libre circulation des produits du bazar, car les marchands traditionnels sont leurs grands soutiens partout, et nulle part ne ressortissent au monde des déshérités. Ils instaureraient, s'ils le pouvaient, une sorte d'union douanière islamique [1], dont les « charités islamiques » avec la circulation de leurs capitaux parfois considérables, de Sarajevo à Kaboul, seraient la préfiguration. Peu à peu, le libre-échange des richesses et des hommes referait l'unité de l'Islam, comme le corps d'un individu longtemps entravé se

---

1. Soyons justes, il existe aussi une esquisse moins caricaturale de cette union douanière avec la politique de réduction du protectionnisme que s'efforce de pratiquer la Conférence islamique, sous l'impulsion notamment de la Turquie.

remet à vivre à mesure qu'on le masse énergiquement.

Enfin l'islamisme veut démilitariser le monde musulman : non par pacifisme. Il s'agit ici, comme lorsque Staline s'en prenait à Toukhatchevski puis à Joukov, Mao à Peng Dehuai en faisant monter au pinacle Lin Biao, de briser l'élément de rationalité, même assujettie, que représente partout l'instance militaire professionnelle. Celle-ci demeure régie par des questions de technologie, de coûts alternatifs de tel ou tel modèle stratégique, de concurrence enfin avec les autres armées de la planète, ce qui conduit souvent à en faire – c'est toujours le cas en Algérie, au Maroc, en Turquie et parfois même en Iran – des centres du parti moderniste, des foyers de laïcisme explicite ou latent. Contre l'armée des militaires, surtout s'ils interviennent à Alger ou à Ankara dans la politique, l'islamisme contemporain a réinventé l'armée des milices, menant la guerre du peuple, transformant tout musulman en soldat prônant le Djihad. Tout comme Mao, abondamment lu et commenté par le fondateur d'Al Qaïda, le professeur saoudo-palestinien Abdallah Azzam (assassiné en 1987 par Oussama Ben Laden et Ayman Zawahiri pour une divergence stratégique), l'islamisme prône une

« guerre dissymétrique » qui lui permettrait de se dispenser à peu près complètement d'une armée moderne : à un pôle, le sacrifice des suicidés volontaires, des enfants immolés à déterrer les mines à mains nues ou à se faire sauter à la terrasse des cafés israéliens, les vagues humaines de miliciens légèrement armés qui se transforment, la paix revenue, en chemises brunes oisives et vaguement menaçantes, postées à tous les carrefours des villes et des bourgs, elles viennent de remporter par la combinaison explosive de la fraude et de l'indifférence l'élection présidentielle iranienne de juin 2005. Et à l'autre pôle, tout comme en Chine pendant la révolution culturelle, la menace latente d'une arme atomique en voie d'élaboration, immédiate dans le cas pakistanais, par l'effet de prolifération générale qui l'a déjà accompagnée, nullement éloignée en Iran mais aussi en Arabie saoudite et en Egypte, autrefois en Irak. Cette prolifération nucléaire très menaçante se combine à l'activité incessante d'un véritable KGB islamique qui pratique avec un égal bonheur les trois armes du renseignement en plongée profonde, de la désinformation (Al Jazira) et de la subversion.

On voit hélas comment des bribes de ce discours, mal comprises en Occident, ont pu laisser

penser à certains que le nouvel intégrisme islamique comportait des éléments de modernisation.
C'est vrai que le Baas de Saddam Hussein pouvait susciter la nostalgie archéo-gaulliste, les
débris du FLN algérien la solidarité d'une ancienne génération communiste en déclin, la
monarchie marocaine celle des fêtards grison-
nants de la droite la plus conformiste inféodée au
« Maghzen » et la haute figure d'Ahmed Shah
Massoud la sympathie des âmes bien trempées,
mais tout cela, en France par exemple, n'a pas
toujours fait le poids devant les erreurs volontaires ou involontaires de la traduction islamisante
qui tend à périmer ces anciennes solidarités au
nom d'une pseudo-modernité post-laïque : il n'est
pas si difficile que cela, surtout lorsqu'on appartient à la catégorie de ceux que Sartre appelait
volontiers des « salauds métaphysiques », de faire
passer l'antiétatisme des islamistes pour du
sociétalisme proche de celui de la « deuxième
gauche » européenne, le foisonnement des mosquées et des instances délibératives des confréries
pour du pluralisme en acte, la défense du bazar et
le projet de Zollverein islamique pour du libre-
échangisme ricardien [1], et « last but not least » le

---

1. *The Economist*, il n'y a pas si longtemps, n'avait pas de mots

démantèlement des armées professionnelles pour du pacifisme jauréssien à la sauce des Frères musulmans.

Ricardien et pourquoi pas rocardien, il nous est arrivé d'entendre et de lire de véritables fantasmagories à propos de l'islamisme contemporain, qui visaient toujours à nous faire détourner le regard des méfaits des intégristes en marche. Dans l'ordre croissant de gravité : oppression de toutes les minorités – nationales, religieuses et sexuelles – réputées non conformes, agression et rejet actif de tous les voisins géographiques non musulmans, suppression systématique des libertés politiques et privées, répression des formes réputées hérétiques de l'Islam lui-même, terrorisme interne et externe et, plus grave que tout, oppression systématique d'une moitié de la population, les femmes, dont on peut voir à Kaboul comme à Alger ou à Téhéran qu'elles ne sont pas enthousiastes du voile qu'on veut faire descendre sur leur vie tout entière, ni consentantes que leur témoignage en justice vaille la moitié de celui d'un homme. Mais on trouvera toujours des sympathisants en nombre pour qualifier de

---

assez durs pour fustiger le Crédit Lyonnais ou la Deutsche Bank, pas de mots assez doux pour justifier les principes de la banque islamique.

« troublante modernité » une régression sans précédent dans l'Islam, et dont la férocité ultime, avant l'attentat du 11 septembre 2001, et ceux de Londres et de Madrid en 2004 et 2005, demeurera symboliquement la destruction des Bouddhas de Bâmyân par les talibans.

Pourquoi tant de complaisance à l'égard de cet islamisme dont les flots montants et descendants au rythme des marées, menacent pourtant chaque jour d'emporter une précieuse digue qui nous préserve encore de sa malfaisance intrinsèque ? Ecartons rapidement les explications adventices : il y a les lâches qui veulent acheter leur sécurité à tout prix. Ils ne comptent pas tant que cela. Il y a les nostalgiques du fascisme qui se trouvent en pays de connaissance dans un mouvement dont les cibles persistantes demeurent celles du IIIe Reich à son apogée : l'Amérique, la Russie, les juifs. Ceux-là non plus ne comptent pas davantage, bien qu'on les reconnaisse de temps à autre au détour d'une expression. Non, il y a hélas beaucoup de bien qui entre dans la confection du mal, de même qu'il faut toujours un peu de mal, comme en pharmacie l'usage des poisons à petites doses, pour parfaire le bien. Le bien détourné ici, c'est l'anticolonialisme. Il n'y avait rien de beau dans l'ancienne défaite et l'humiliation de l'Islam ; dans l'arrogance du colonialisme français au Maghreb à son apogée, et même à son déclin ; dans la mise en coupe réglée de l'Iran par l'Anglo-Iranian, de l'Egypte par la société franco-britannique du Canal de Suez ; dans la punition collective infligée aux musulmans par Staline en 1945, Tatars de Crimée, Tchétchènes, Ingouches, Mechkètes, Karachaïs et Balkhars, Tcherkesses et Kabardes, tous jetés comme des rebuts dans la désolation de l'Asie centrale. Ceux qui comme Sartre et Simone de Beauvoir en France pendant la guerre d'Algérie, Nekrich et Roy Medvedev en Union soviétique sous Brejnev, Bertrand Russell ou Barbara Castle en Angleterre au moment de Suez, avaient élevé la voix pour défendre les opprimés, voire souhaité provisoirement l'échec des politiques menées par leurs pays respectifs, pour mieux préserver l'avenir, ont droit à notre sympathie rétrospective. Ils voyaient clair, et bien avant les autres.

De même que voyaient plus clair que les autres ces esprits réfléchis qui, en 1915-1916, comprenaient mieux, tels Freud ou Keynes, Apollinaire ou Chklovski, que le conflit mondial auquel ils participaient à leur corps défendant, conduisait la civilisation européenne à sa perte. Mais l'anticolonialisme philo-islamique ne remporte-t-il pas les mêmes victoires, et sans danger à présent, que le faisait le pacifisme libéral, socialiste ou chrétien en 1930 ? L'un comme l'autre étaient le bon sens ignoré de la veille, mais peut-être bien la folie du présent.

Il n'est pas aisé de comprendre spontanément et sans réflexion préalable ce qu'Aristote avait heureusement baptisé en son temps de *metabasis eis allo genos*, le « passage à un autre genre ». Il fallait la lucidité des Einstein, des Cavaillès, des Keynes pour passer de la dénonciation de la paix injuste de Versailles à celle des accords plus injustes encore de Munich, vingt ans plus tard, qui ouvraient à Hitler toutes les portes qu'on avait fermées à Stresemann, à Erzberger, à Rathenau. Cette lucidité, tout le monde ne l'a pas. *Le Canard enchaîné* de l'époque par exemple qui exprimait sa déception devant le « bellicisme » d'Einstein, et celui d'aujourd'hui qui condamnait un peu vite le régime militaro-laïque en Algérie à la poubelle de l'histoire, en demeurent également dépourvus. Ils n'étaient pas les seuls, mais beaucoup sont moins coupables, car c'est de très bonne foi que tant de femmes et d'hommes, marqués chez nous par le souvenir cruel de la guerre d'Algérie, croient poursuivre le même combat en acclamant Tarik Ramadan, qui conspue ouvertement quelques intellectuels juifs de ce pays, parce qu'ils imaginent que le rejet occidental de l'islamisme prolonge le mépris du colonisé d'hier. De même autrefois, des instituteurs francs-maçons et républicains, brandissant leur carte usée de la SFIO, des pédagogues radicaux-socialistes et des scénaristes anarchisants se ruaient chez Pétain au cri de « Plus jamais cela », à savoir plus jamais Verdun et le Chemin des Dames. Ce qui nous intéresse ici, au-delà des polémiques de circonstance, c'est le constat clinique du prolongement indu d'une réaction, après que la scène eut changé du tout au tout, laquelle aboutit au lâche abandon des femmes, des berbérophones, des intellectuels et des militaires modernistes au Maghreb, des juifs israéliens et des chrétiens libanais au Machrek, des homosexuels persécutés en Egypte, des semi-esclaves africains torturés et massacrés par centaines de milliers au Soudan, des chiites d'Irak et d'Arabie saoudite, de Massoud en Afghanistan, à la veille du 11 septembre 2001. La paix, la paix à tout prix, nous clament tant de braves gens qui, en se conjoignant aux lâches, aux amis des brutes et aux antisémites ordinaires, peuvent, s'ils n'y prennent garde, assurer le triomphe des forces du mal et de la régression.

Tout comme en 1939, où beaucoup de Français de gauche et de centre gauche renâclaient à « mourir pour Dantzig » et jugeaient indispensable, quoi qu'ils puissent penser de leur idéologie, de composer avec les forces montantes du fascisme européen.

Ce petit essai s'adresse donc tout particulièrement à ces hommes et à ces femmes de bonne foi, qui chérissent trop la paix, mais refusent aussi l'humiliation des opprimés et croient bien faire en conspuant Israël, en abandonnant le Liban à son sort, en dénonçant les élections en Irak ou en jetant la suspicion sur la réalité des crimes islamistes en Algérie. A ceux-là, j'opposerais volontiers le raisonnement d'Emmanuel Levinas : celui-ci tente de reconstruire l'obligation de la loi qui vient arrêter le flux de l'absolue miséricorde, de l'attention inconditionnée que, selon lui, nous devons d'abord à autrui, à « l'Autre », par l'intervention du troisième terme qui interrompt le face-à-face de deux consciences. Je ne peux tout céder à l'Autre parce qu'il existe toujours un troisième homme qui réclame aussi son dû, et la loi émerge de ce système spontané de composition complexe. Alors, disons tout simplement que si le ressentiment et la haine de soi font considérer à quelques âmes faibles qu'Américains et

Israéliens, voire juifs dans nos banlieues pari-
siennes, méritent un peu le sort cruel qu'ils
rencontrent parfois, un sort qu'au fond nous
mériterions tous, dans une certaine mesure, pour
nos péchés d'Occidentaux, que font-elles, ces
belles âmes, des jeunes Algériennes vitriolées et
éventrées par le FIS et le GIA, des intellectuels
iraniens massacrés par la gestapo locale, des
Saoudiens non wahhabites, ou, pire encore, non
sunnites, qu'on contraint à raser les murs dans
leur propre pays, de ces millions d'enfants qu'on
condamne à l'abrutissement de la répétition
coranique dans des madrasas où l'éducation
morale se résume à l'injection de la haine à des
doses insupportables? Toutes actions qu'aurait
répudiées le Prophète et tous les docteurs de
l'Islam après lui.

Il existe un anti-intégrisme, de même qu'exista
naguère un antifascisme. Par nature, l'un comme
l'autre sont ou ont été des réalités complexes.
L'islamisme tout comme le fascisme sont simples
par nature : certes, ils comportent des formes plus
ou moins diluées en fonction des hommes ou des
circonstances : tel Frère musulman égyptien aura
conservé dans ses manières la même douceur
qu'on retrouvait chez un fasciste italien cultivé et
disert, tel islamiste turc manifestera tout de même

un respect essentiellement tactique de la démocratie parlementaire que l'on repérait déjà chez un adepte anglais de Mosley, là où au rebours tel cadre supérieur d'Al Qaïda exprimera la froideur meurtrière d'un proche de Himmler ou de Heydrich. Mais la structure de la doctrine reste la même. Quand on la quitte, comme l'ont fait les anciens islamistes du « parti blanc » (AKP) d'Erdögan et Gül en Turquie, c'est aussi pour de bon. On ne peut pas être à demi islamiste, pas plus qu'on ne pouvait être semi-fasciste [1].

L'exécration du fascisme unissait des conservateurs nationalistes et démocrates tels que Churchill, de Gaulle ou certains conjurés allemands du 20 juillet 1944, des libéraux comme Roosevelt, Keynes, René Cassin ou Carlo Sforza, des chrétiens suscités par la prédication antiraciste de Pie XI, François Mauriac, Alcide De Gasperi, Karl Jaspers, beaucoup de socialistes (mais pas tous), tous les communistes (mais pas

---

1. Et de même que les portes du ralliement, qui économise du temps et du sang, étaient largement ouvertes pour les Canaris en Allemagne nazie, les Dino Grandi en Italie, les Ridruejo et les Pio Cabanillas en Espagne, les Spinola au Portugal, de même aujourd'hui il n'y a que des avantages à précipiter la transformation des islamistes ralliés à la paix civile, comme cela a déjà eu lieu, en Algérie par exemple. Car dès lors qu'ils composent avec l'Etat séculier autrement que sous la forme d'une trêve, il n'y a plus d'islamistes.

tout le temps) et quelques individualités fortes et inclassables tel Jean Moulin, pour ne pas parler des ralliés de la onzième heure, tels Rauschning, Malaparte ou Bernanos... Ne vous étonnez donc pas de retrouver la même complexité s'agissant de l' « anti-intégrisme » contemporain. On y trouve pêle-mêle des représentants de minorités ethniques bafouées par l'islamisme local, des Kabyles du RCD du docteur Saïd Sadi aux Kurdes irakiens de Massoud Barzani et Jalal Talabani, en passant par les Tadjiks afghans de Massoud et de ses successeurs ; des porte-parole de minorités religieuses maltraitées telles que les alevis en Turquie, les chiites imamistes du Hasa en Arabie saoudite, les ahmedis modernisateurs qu'on a officiellement chassés de l'Islam au Pakistan, certaines confréries soufies (par exemple au Cachemire ou au Liban), voire des minorités potentiellement persécutables comme les alaouites d'une éventuelle Syrie « débaasisée » ; des intellectuels libéraux qui défendent la liberté de conscience, tels l'écrivain et Prix Nobel Naguib Mafhouz en Egypte, le philosophe Abdel Hakim Sorouch en Iran, ou le romancier Orhan Pahmuk en Turquie ; mais aussi des nationalistes plus autoritaires, anciens baasistes, anciens nassériens, toujours kémalistes en Turquie ou nostalgiques de la gloire du FLN algérien. Des militaires. Beaucoup de femmes, et toutes les féministes. La plupart des communistes. On peut y ajouter ceux qui, comme Erdögan en Turquie, les frères Khatami en Iran, abandonnent peu à peu les rangs de l'islamisme pour chercher des solutions meilleures. Ils sont les bienvenus.

Ces hommes et ces femmes se battent tous les jours pied à pied, parfois héroïquement, pour leur liberté et pour la nôtre. Certains ne sont pas démocrates, tout comme ne l'étaient pas les communistes et certains nationalistes qui combattaient le fascisme européen. Mais leur combat rendait pensable à terme la démocratie, et ce sont des valeurs antifascistes à forte connotation démocratique forgées ensemble au cœur de la lutte qui ont rendu possibles la défection de Tito dès 1948, le 20e congrès de Khrouchtchev en 1956, et pour finir la *perestroïka* de Gorbatchev. En Islam, le temps de latence sera plus bref. Tous ceux qui luttent aujourd'hui contre l'intégrisme seront demain les artisans de la démocratie, parce que celle-ci est la seule véritable alternative au programme islamiste. Contre les ténèbres dans l'Islam, la liberté de l'Islam.

La guerre se déroule donc déjà, non pas entre l'Islam et ses voisins, mais d'abord au sein de l'Islam lui-même. Si nous aidons résolument l'Islam anti-intégriste à surmonter cette crise, point ne sera besoin de sanglantes épreuves : ces épreuves, les musulmans épris de liberté les acceptent déjà pour eux. Il ne faut que les épauler, les comprendre, exalter leur combat. Le reste viendra par surcroît.

C'est ici qu'il nous faut revenir à la « géopolitique », que la fin du communisme nous a contraints à réinventer. Dans le monde actuel, bien des problèmes politiques et des oppositions idéologiques, qui ne connaissaient aucune frontière dans l'espace, s'apaisent, bien des questions de territoire et d'influence que l'on pensait résolues depuis longtemps renaissent. Bienvenue donc à la géopolitique qui décrit cette nouvelle emprise des territoires. Sans doute la géopolitique première, celle des Ratzel et des Haushofer, exprimait-elle la volonté de puissance d'une Allemagne venue tard sur la scène des Etats-nations, et qui aspirait à produire une plasticité du monde à venir, qui pût se prêter à ses ambitions démiurgiques. A cette géopolitique du vouloir, la France opposait à la même époque, avec Vidal de La Blache et ses émules, une géographie de l'Etre, fondée sur une affirmation positiviste de la légitimité des constructions humaines, la même affirmation qui fut par ailleurs celle de Taine et de Renan. La redécouverte de la géopolitique se situe à l'évidence à mi-chemin de la géopolitique allemande (telle qu'elle s'est d'ailleurs prolongée aux Etats-Unis, après 1945) et de la géographie française (qui a engendré toute l'anthropologie moderne, avec son respect des diversités culturel-les). Elle comporte une reconnaissance de l'épaisseur des cultures et des invariants physi-ques, écologiques et humains de la répartition des sociétés sur le globe. Mais elle intègre à ses raisonnements cet élément de mobilité qui, chez ses précurseurs germaniques, était projection dans l'espace d'une volonté de puissance nietzschéenne, et aujourd'hui ne peut être que le constat, purement objectif, de la plasticité récente d'un monde en fusion. C'est cette mondialisation, et non plus l'émergence de subjectivités conqué-rantes, qui produit sous nos yeux ces grands espaces aléatoires dont il semble que le sort redevient tout à coup incertain. Sans doute la renaissance de la géopolitique est-elle là tout entière, au carrefour de la pertinence de l'espace et de l'accélération du temps[1]. C'est pourquoi cette nouvelle diversité nous importe : nous devons repérer des points sur la carte non figurative de l'espace-temps quadridimensionnel : ces points d'accumulation d'énergie nous permettront de comprendre les basculements mis en œuvre. Dans ces conversions brutales d'énergie, le rôle des hommes est plus essentiel qu'on ne l'imagine, comme le sont les forces faibles en microphysique. Deux exemples pour nous faire comprendre. Ce n'est pas faire injure à Marcel Boiteux que de dire que son accession à la tête d'EDF dans les années 1970, une société française d'Etat puissamment arrimée aux pouvoirs syndical, technocratique et scientifique du pays, n'a pu qu'optimiser, mais non bouleverser, une structure foncièrement stable et rigoureusement définie. Tel fut aussi le destin de Janos Kadar à la tête d'une Hongrie en partie émancipée, et pourtant lézardée dans son anticommunisme militant, par la vigueur de la répression soviétique de 1956. Ces hommes furent tous deux de remarquables gestionnaires – on doit au premier le programme électronucléaire

---

1. On pense à la Yougoslavie défunte, au Pakistan en sursis, à l'Indonésie, aux Etats andins, à l'espace post-soviétique tout entier.

français, au second la seule réforme de marché durable d'une économie socialiste – mais dans un processus bien défini, à évolution lente, qui ne leur laissait qu'une marge relative de liberté. Les sociologies culturelles d'EDF ou de la Hongrie des années 1960-1985 seront par conséquent pertinentes, bien davantage que les aléas des biographies.

Mais lorsqu'on se trouve confronté à l'évidente sous-détermination des temps de crise, où beaucoup d'issues différentes sont concevables, alors le choix des individus peut devenir essentiel. Il n'est pas indifférent de savoir que le père de Gorbatchev ainsi que son beau-père sont passés par le goulag stalinien, pour comprendre le refus obstiné de l'homme, une fois au pouvoir, de recourir à toute répression ; que le ministre de la Défense iranien Chamkhani appartienne à une petite minorité arabe chiite de l'Iran méridional, ce qui le conduit à établir la question palestinienne très haut dans l'ordre de ses priorités ; que le ministre des Affaires étrangères saoudien, le prince Saoud, et son frère, Turki, soient les fils d'Ibn Saoud et d'une femme turque, donc nécessairement occidentaliste en Arabie saoudite, ce qui en fait des modérés de naissance, discrètement antiwahhabites ; que l'inspirateur de toute la politique intérieure de Lula au Brésil, et sa récente démission, José Dircéu, soit passé par le communisme orthodoxe et l'école des services secrets cubains, ce qui en a fait un redoutable technicien du pouvoir mais aussi un ennemi de Castro, qui fut le bourreau de ses amis des services secrets de La Havane, Abrantes et de la Guardia.

En somme, l'entrée dans une logique probabiliste, que sanctionne la renaissance de la géopolitique, réintroduit aussi sur une grande échelle le rôle aléatoire des individus ou des groupes : leur mode de comportement n'est plus déterminé, autant qu'il l'était par le gel modérateur de la guerre froide, mais il n'est pas non plus totalement incertain [1].

C'est ici qu'intervient le géopoliticien de notre temps : il met en scène un tableau qu'il sait aléatoire, il décrit un espace à évolution lente, « newtonien », que lui définissent fort bien la géographie et l'anthropologie, mais du sein de ce premier espace, il en détermine encore un second,

---

1. L'invention de cette mutation épistémologique fondamentale, véritable émergence d'une liberté aléatoire, on la trouvera formulée chez un grand écrivain comme Edouard Glissant dans *Tout monde*, véritable roman épistémologique de notre modernité extrêmement récente.

à courbure temporelle, où tout s'accélère, et dans lequel de surcroît des individualités et des associations sont affectées d'un véritable mouvement quantique. Un peu de science dans cet exercice, mais pas mal d'art aussi, ou plutôt d'artisanat. L'exercice est nécessaire. Parfois, il est périlleux, sinon pour la sécurité physique de qui écrit du confort de son bureau, au moins pour l'assurance narcissique de l'audacieux qui aura confondu dans sa hâte et les reflets gris de l'aube, les contours de nouveaux objets qui parviennent à la lumière, et les chimères d'une nuit qui se déchire. Mais le risque en vaut la peine.

Je soutiens dans ce court essai trois thèses fondamentales.

1. D'abord, que l'espace de l'Islam, rejeté sur une périphérie du monde moderne à partir du XIXe siècle, revient de plus en plus vite au centre de notre univers mental et politique.

2. Ensuite, que dans le même temps où l'Orient approche, le nationalisme arabe proprement dit, autrefois mouvement dominant qui donnait le ton à toute la région, régresse à vue d'œil pour laisser place à une autre configuration.

3. Enfin, que ce double mouvement de centralité islamique et d'effacement du nationalisme

arabe ouvre la voie à un affrontement sans précédent sur un espace incommensurablement plus vaste, celui de l'Islam tout entier, entre modernité démocratique et réaction intégriste.

Au carrefour de ces trois mouvements émergent alors l'européanisme turc et le chiisme iranien qui donnent le ton à tout cet ensemble, face à la nébuleuse intégriste dont Al Qaïda demeure le symbole.

La première thèse consiste ainsi à observer que par un mouvement presque inexorable, l'espace islamique devient le centre névralgique de notre univers en voie de mondialisation. Ce n'était nullement le cas en 1946, cela commençait doucement en 1956, avec la crise de Suez. Cela devient de plus en plus évident avec les convulsions qui s'annoncent dès 1967 (guerre des Six-Jours) ou qui suivent, à partir de 1978 (révolution iranienne), le grand accident tectonique de 1973-1975 : guerre du Kippour, premier choc pétrolier et guerre civile au Liban. On pourrait penser, après la défaite de Saddam Hussein dans la guerre du Koweït, la chute concomitante de l'Union soviétique et les accords israélo-palestiniens d'Oslo, que la région retombait dans une longue phase réparatrice de modernisation économique et sociale, ponctuée de quelques à-coups locaux, en somme la traduction moyen-orientale des thèses de Francis Fukuyama, inspirées du marxisme romantique d'Alexandre Kojève, la fin de l'histoire en version tropicale désertique. Du reste, l'attention générale s'était déjà déplacée vers le théâtre glacé et potentiellement sanglant de l'espace postsoviétique. On aurait dû, pourtant, dès ce moment, prendre garde à la radicalité de la guerre civile algérienne qui débute en 1992, à l'instant même où la Russie eltsinienne émerge des décombres du soviétisme. On aurait dû prêter plus d'attention à la décomposition accélérée de la société pakistanaise, parallèle à l'accélération de son programme nucléaire, tout autant qu'aux conflits de Bosnie et du Caucase. On aurait dû surtout s'intéresser de près à la montée en puissance de l'idéologie islamiste, bien davantage qu'aux rémanences social-fascistes du post-communisme. Mais cela était interdit par le discours dominant, orienté dans cette région, qui est la scène mélodramatique de toutes nos culpabilités, vers la non-résistance au mal, mais aussi vers l'abandon à leur triste sort des victimes du même mal. Mais à partir de l'automne 2000, la reprise du conflit israélo-palestinien, la fuite en avant du régime taliban et la tentative de reconstitution d'un cartel pétrolier fort, scellée par un début de réconciliation saoudo-iranienne (sans doute sans lendemain), remettaient en marche l'horloge moyen-orientale. Depuis le 11 septembre 2001, plus personne ne peut dire que la nouvelle question d'Orient ne soit au cœur de notre monde, et même le cœur de notre monde.

La combinaison hautement instable de prolifération nucléaire et de dépendance énergétique croissante du reste de la planète permet à cette région d'occuper durablement le centre de notre univers mental, alors même que son poids économique et culturel demeure relativement négligeable. Nous en avons vu d'autres : un empire soviétique déclinant et une Chine pantelante, issue de sa révolution culturelle, occupaient encore le centre idéologique du monde en 1975, sous les auspices de la crise terminale du système communiste ; une Allemagne, déjà délestée de ses principaux savants et créateurs, plongée dans l'abrutissement petit-bourgeois des nazis et alliée à une Italie grotesque, championne de la gonflette esthétique, dominait pourtant de son nihilisme destructeur toutes les problématiques des années 1930.

Ce n'est pas la profondeur des vues métaphysiques d'Oussama Ben Laden, le coup d'œil stratégique du général pakistanais Hamid Gül ou la clarté éthique du cheikh Karadawi, le pape du sunnisme égypto-arabe lové pour l'instant dans son antre au Qatar, qui sont déterminants pour apprécier leur importance. La centralité du Moyen-Orient islamique tient tout simplement à la profondeur abyssale de la crise qu'il traverse, et qui devient par contrecoup la crise de notre monde tout entier depuis le 11 septembre 2001, capturant dans son flot toutes les autres crises.

Deuxième thèse. Nous quittons une période historique marquée par la renaissance, au Moyen-Orient, de l'identité arabo-islamique. C'est même cette crise, probablement terminale, de l'arabo-islamisme sunnite, à présent sous sa forme intégriste « salafiste », qui propage des effets déstabilisants sur l'ensemble de la région. Mais pour mieux la comprendre, reportons-nous au début des années 1950 : la Turquie, qui se sent alors assiégée sur deux de ses frontières (Balkans et Caucase) par une Union soviétique débordante d'énergie, et encastrée entre une Grèce et un Iran en proie tous deux aux fièvres révolutionnaires, donne son congé au Moyen-Orient qu'elle avait jusque-là considérablement influencé, pour se tourner vers l'OTAN et vers l'Europe. L'Iran lui-même, obéré par la proximité du géant soviétique et mal remis de la crise politique des années

Mossadegh, se redéploie après la nationalisation du pétrole et le retour peu glorieux du chah en 1953 dans ses problèmes de régénérescence intérieure. Le monde arabophone au contraire s'affirme chaque jour davantage, depuis le Maghreb en voie d'émancipation de la France, jusqu'au Machrek syro-irakien où s'implantent les nouvelles idées nationalistes du Baas. Mais c'est en Egypte, centre de ce monde en résurrection, que s'impose avec la révolution des officiers libres de 1952 un nouveau paradigme politique, et même de civilisation.

Certes Nasser a souvent échoué dans ses tentatives trop précoces d'unification du monde arabe. Pour autant, c'est autour de ses idéaux et de son ambition qu'émerge une génération politique nouvelle tout à fait originale, qui comprend le Marocain Ben Barka, sans doute le plus brillant de tous, les Algériens Ben Bella et Boumediene, l'Irakien Kassem, le Palestinien George Habbache, et même des rivaux historiques comme les principaux chefs du Baas, les Syriens Salah Bitar et Nourredine Atassi, l'Irakien Hassan Al Bakr, ou encore des « pièces rapportées » étrangères à l'origine au nationalisme arabe proprement dit, telles que le chef druze du Liban Kamal Djoumblatt, le prince saoudien Talal (le propre père du wahhabite hôtelier Walid) qui trouva le gîte et le couvert au Caire pendant quelques années, avant que de rentrer au royaume de ses frères, la tête basse, et jusqu'à l'imam chiite zeïdite du Yémen, qui crut un temps, et à tort, assurer sa sécurité en devenant lui aussi nassérien.

Cette première renaissance arabe, purement politique et parfois précaire, fut bientôt suivie d'une seconde, beaucoup plus complexe : la découverte généralisée du pétrole, au Sahara algérien puis libyen, de plus en plus en Arabie saoudite et par extension dans les micro-Etats du golfe Persique depuis le Koweït jusqu'à Dubaï, ainsi que dans leurs eaux territoriales, en Irak enfin. Il n'est pas jusqu'au Sinaï égyptien où le petit gisement d'Abou Rodeïs, découvert par les Israéliens deux ans à peine avant qu'ils ne doivent le restituer au Caire, ne contribue à l'abondance générale. Pour beaucoup d'esprits religieux, cette manne, puis la véritable explosion de la demande d'hydrocarbures dans les pays industriels représentaient une sorte de doigt de Dieu qui rendait aux musulmans tout d'un coup richesse et dignité, comme on le lit à la fin du Livre de Job. La révolution islamique iranienne de 1978 semblait enfin chez ses protagonistes marquer une volonté très grande d'interrompre le processus, jusque-là dominant, d'auto-affirmation d'une culture persane indépendante de l'Islam, et le retour à une connivence et un cousinage très forts avec le monde arabe, symbolisés par la réforme khomeyniste du dictionnaire persan au profit de vocables sémitiques nombreux, et plus sérieusement par la participation directe du nouvel Iran à la lutte palestinienne et à la guerre civile libanaise aux côtés du mouvement des Déshérités de l'imam Sadr. Le Pakistan lui-même, tournant provisoirement le dos à son indianité, après la sécession du Bangladesh de 1971, ne tardait pas, lui non plus, à engager une relation militaire symbiotique avec l'Arabie saoudite, qui devait aboutir, dans les années 1990, au succès de son programme nucléaire.

Ainsi, après une première période d'ascension nationaliste marquée par le rôle guide de l'Egypte nassérienne, l'arabisme contemporain a-t-il pu renaître une seconde fois, au lendemain du premier choc pétrolier de 1973, en jouant tout à la fois sur la puissance nouvelle des Etats producteurs – Kadhafi, Saddam Hussein et la monarchie saoudienne –, et en faisant mouvement vers les courants nouveaux de l'islamisme qui, loin de concurrencer encore le nationalisme arabe, même en Iran, semblaient finalement pouvoir l'étayer :

ainsi des premiers adeptes du salafisme en Algérie qui, encore à l'intérieur du parti unique FLN, appuyaient les tendances les plus autoritaires, nostalgiques du nassérisme, contre le féminisme naissant et le renouveau berbériste de la Kabylie ; ainsi de l'islamisme chiite qui, du Liban à l'Iran, semblait désireux de renouer avec le monde arabe les liens interrompus par le régime impérial des Pahlevi. Après Nasser, le grand unificateur de ce front en voie de constitution ne fut autre, paradoxalement, que Yasser Arafat. Arafat, à la différence de Nasser, ne présidait aux destinées que d'un peuple très réduit, les Palestiniens, encore dépourvus d'un Etat sinon d'une influence diffuse, très perceptible au Liban, plus discrète dans le golfe Persique. Mais en sachant se faire tout à la fois le plus petit commun dénominateur d'une fictive nation arabe en lutte aussi permanente que peu coûteuse contre Israël, et le marieur de force des nationalistes les moins laïques et des islamistes les plus arabes, le président palestinien, lui-même issu de la mouvance des Frères musulmans égyptiens, avait pu continuer à figurer symboliquement deux ans encore (1978-1980) cette unité en marche d'une arabité à terme triomphante. Même la guerre fratricide du Sahara, où toute la gauche marocaine avait fait front

64

avec le roi contre l'imposture d'un Polisario porté à bout de bras par l'Algérie de Boumediene, n'avait pas encore lézardé le front uni « islamo-progressiste » du monde arabe. Mais le tonnerre des armes n'allait pas tarder à bouleverser ce brillant crépuscule : coup sur coup, la paix séparée de l'Egypte avec Israël (1979) et la guerre d'agression de l'Irak baasiste contre l'Iran de Khomeyni (1980) mirent fin à l'hégémonie arabe sur le monde de l'Islam, malgré le rougeoiement flatteur du second choc pétrolier.

Emergent alors trois blocs de plus en plus séparés, comme dans un univers en expansion après le big-bang, plus un quatrième, d'abord essaim d'astéroïdes et de planétoïdes, mais qui se densifie à vue d'œil.

Le premier groupe est le bloc pragmatique pro-occidental, dirigé par l'Egypte de Sadate et qui comprend le Maroc de Hassan II en lutte pour sa propre vie au Sahara, le Soudan de Nimeiry jusqu'à la chute de ce dernier en 1984, la Jordanie du roi Hussein, Oman du sultan Qabous. Ce rassemblement a choisi la paix durable avec Israël et l'alliance stratégique avec Washington.

Le second groupe a désormais pour épicentre Téhéran et rassemble autour de la révolution iranienne, explicitement les chiites libanais, la

Syrie baasiste mais en réalité alaouite (et donc chiite), le Yémen, lui aussi à majorité chiite, les chiites hazaras ainsi que les sunnites tadjiks philo-iraniens de Massoud en Afghanistan, mais aussi plus souterrainement tous les chiites d'Irak, de Bahrein et des Emirats, et même d'Arabie saoudite. Ceux-là demeurent condamnés à la *taqia* (au silence, ou plutôt à la restriction mentale), et ne peuvent partout exprimer la ferveur de leur soutien à Khomeyni.

Face à ces deux blocs, libéral-occidentaliste et islamo-chiite, les sunnites arabes décident de faire front autour du combat de l'OLP, à la fois contre l'Egypte de Sadate alliée d'Israël, et la Syrie d'Assad alliée de l'Iran. Ce troisième bloc, qui comprend la Tunisie d'après Bourguiba, l'Arabie saoudite des frères Sudaïris (le roi Khaled et ses frères Fahd, Sultan et Nayef), la Libye de Kadhafi, repose en fin de compte sur deux grandes puissances militaires régionales, l'Irak de Saddam Hussein et le Pakistan (à la gêne croissante de nombreuses élites chiites, tant imamistes qu'ismaéliennes de ce dernier pays, dont Benazir Bhutto).

De cette époque date l'association des services secrets du Baas irakien et de l'ISI pakistanais, qui mènent en coordination des actions hostiles à l'Iran, à partir de la frontière baloutche. Par la suite, les Irakiens s'intéresseront aussi quelque peu aux talibans, dans la mesure où leur anti-chiisme radical convenait bien à Saddam Hussein. Il n'est pas exclu non plus que le tournant intérieur pro-intégriste sunnite du même Saddam après sa défaite de 1992 ait comporté quelques gestes de rapprochement avec Al Qaïda, qui apparaissait comme un mouvement de dissidence à l'intérieur du groupe dirigeant saoudien. Khartoum, capitale de l'islamisme terroriste et radical du début des années 1990, fut le lieu de ce diffi-cile dialogue, qui a peut-être abouti à la fourni-ture d'une logistique partiellement irakienne au premier attentat manqué de 1993 contre les Twin Towers. Si ces liens se relâchèrent à l'époque des régimes civils pakistanais, ils semblent bien avoir reparu en force à la fin des années 1990, lorsque l'Afghanistan des talibans se retourna avec férocité contre l'Iran. La clef pour déchiffrer tout cet épisode mal éclairé réside peut-être dans la biographie de l'actuel chef du Djihad en Irak, le Jordanien Zarqaoui, dont il ne fait guère de doute qu'il disposa des attentions des services pakista-nais, et qui réussit très facilement à s'évader d'Afghanistan après l'effondrement de l'automne 2001 pour gagner rapidement Bagdad, où les services secrets de Saddam lui firent bon accueil. Aujourd'hui encore, les émissaires pakistanais apportent leur aide à un Zarqaoui allié étroitement au dernier carré des fidèles de la police de Saddam, les ravisseurs répétés de journalistes français et européens.

Quoi qu'il en soit de sa formation, ce *nouveau* bloc appuie désormais trois conflits essentiels : la guerre du Golfe menée par les Irakiens contre l'Iran ; la guerre du Liban où l'OLP cherche, avec ses alliés progressistes libanais, à élargir sa zone de contrôle sans se soumettre à Damas et aux chiites libanais ; et le Djihad afghan, en concurrence avec les pro-américains pour y faire triompher une insurrection intégriste pathane, au potentiel antichiite et anti-iranien. Face à ces blocs de force comparable, s'esquisse dans les limbes une quatrième composante, à la fois sunnite et intégriste, qui prend conscience, notamment sur le terrain afghan (mais aussi au Soudan effervescent d'après 1984), qu'elle n'est ni d'accord pour se soumettre à l'autorité des chiites iraniens, qui, tout intégristes qu'ils se proclament, n'ont aucun respect véritable pour le salafisme sunnite, ni désireuse de se laisser guider par un axe sunnite Arafat-Saddam-Fahd, trop porté au compromis avec la laïcité païenne sur le plan intérieur et trop nationaliste-arabe à l'extérieur, prompt aux arrangements, notamment avec l'Union soviétique occupante de l'Afghanistan et l'Amérique bouclier d'Israël. C'est de cette nébuleuse en formation qu'émergeront les futurs chefs d'Al Qaïda.

Cette réorganisation du monde islamique n'est elle-même qu'une étape vite dépassée : la *perestroïka* soviétique qui évacue l'Afghanistan et humilie Arafat préoccupe énormément les principaux protagonistes du bloc sunnite, y compris saoudiens, qui comptaient sur le contrepoids de Moscou au Moyen-Orient. Sur ce point, la position de Rafsandjani à Téhéran, qui défend ardemment l'unité et l'intangibilité de l'Union soviétique contre les mouvements indépendantistes locaux à Bakou comme à Tachkent, est rigoureusement la même. Mais esprit bouillonnant et confus autant que d'une confiance sans limite dans l'usage de la force, Saddam Hussein, du constat unanime de la vulnérabilité stratégique nouvelle du monde de l'Islam, tire les conséquences les plus radicales : exalté par la victoire militaire incontestable qu'il vient de remporter in fine sur l'Iran en 1988, écœuré des demandes financières de remboursement de l'ex-allié saoudien et de son satellite koweïtien, le dictateur irakien joue son va-tout dans l'été 1990, en reprenant la posture du Nasser de 1956 et en faisant éclater définitivement l'alliance informelle appuyée par l'Occident, qui lui avait permis une victoire in extremis contre les intégristes chiites de Téhéran. Au lendemain de l'invasion du Koweït, les modérés pro-américains emmenés par l'Egypte et le Maroc, les Saoudiens et leurs vassaux, et le bloc chiite irano-syrien concordent pour arrêter le bras de Saddam qui ne peut guère compter que sur Arafat et les approbations, purement formelle, de l'Algérie et de la Tunisie, contrainte par la raison d'Etat de la Jordanie du roi Hussein, machiavélienne de la chrétienté libanaise, livrée à la fin de cette crise au glaive syrien par une Amérique qui fait la part du feu. Dès ce moment, il n'y a plus de monde arabe, au sens que Nasser avait su donner à l'expression : le président algérien Chadli n'est pas le seul dans sa région à dire tout haut que désormais le Maghreb ne devrait plus se mêler des affaires de l'Orient compliqué. A l'autre extrémité, la révolte désespérée et héroïque des chiites de Bassorah et de Nadjaf au printemps 1991, contre un Saddam en déroute, est la prémonition en acte d'un basculement de l'Irak vers l'Iran si proche auquel tout le relie, fors la langue.

Arafat, en dépôt de bilan, accepte, non sans restriction mentale, l'ouverture d'un compromis historique avec Israël, et renonce par là, ipso facto, à sa couronne imaginaire de leader régional pour devenir le chef potentiel de l'un des plus petits Etats, encore à advenir, de la Ligue arabe, l'Autorité palestinienne. Commence alors à entrer en crise une Arabie saoudite qui n'a dû son salut qu'à l'intervention massive des Etats-Unis en sa faveur, et s'apprête à traverser une période de dix années de vaches maigres dans ses affaires pétrolières, provoquées par la récession durable de l'Europe, du Japon et de l'ancien empire soviétique ainsi que par l'entrée des hydrocarbures russes sur un marché de vendeurs. L'Egypte, isolée sur toutes ses frontières, privée désormais de ses ambitions historiques par l'épuisement de son Etat, connaît elle aussi une crise, sans doute plus dense et plus lancinante. Quant au Pakistan, que l'épuisement du Djihad afghan a laissé inassouvi, incertain et désormais suspecté d'ambitions nucléaires déstabilisantes par son ancien allié américain, il revient à contrecœur vers une sorte de démocratie vacillante de type indien, de plus en plus fragilisée par les retombées violentes du drame des années 1980. Mais Benazir Bhutto, chiite laïque de centre gauche, déterminée à améliorer ses rapports avec Washington, tourne le dos à une Arabie saoudite qui demeure le grand soutien de ses forces armées. Bientôt l'avènement de Rafsandjani à la présidence de l'Iran et la mort de Khomeyni se traduisent par une réduction des ambitions de la révolution iranienne : en Afghanistan, au Liban et en Syrie, les mollahs jouent désormais la consolidation de leurs acquis et réduisent leurs activités terroristes. En dehors des attentats antisémites et anti-israéliens d'Argentine organisés par le Hezbollahi libanais Imad Mugnieh [1], où la forte implantation de la communauté chiite locale d'origine libanaise et les liens du président Menem avec sa Syrie natale permettent d'étendre un temps la guerre couverte, il n'y a plus d'autre activité terroriste iranienne que celle qui se poursuit par ailleurs tout au long de la décennie au Sud-Liban.

Mais derrière ces incidents, au total limités bien qu'atroces, une réalité s'impose nettement : la dislocation et l'atomisation du monde arabe. Et la fin, avec l'interruption de la folle équipée de Saddam Hussein, du projet nationaliste arabe lui-

---

1. Très probablement avec le concours du nouveau président Ahmadi-Nejad, à l'époque dirigeant de la Brigade Al-Quds, véritable Wassen SS terroriste islamique.

même. C'est ce moment de désarroi qui scelle l'émergence définitive de la nébuleuse intégriste, dont Al Qaïda de Ben Laden et le mouvement plus ambigu de Zarqaoui constituent bientôt le système nerveux central.

D'où une troisième et dernière thèse, qui nous fait entrouvrir la porte de l'avenir du Moyen-Orient : la dissolution du concept de révolution/renaissance arabe commence à réorganiser l'ensemble de ce monde sur un échiquier beaucoup plus vaste et dont l'existence avait été refoulée, au moins depuis le début de la guerre froide ; l'échiquier de Dar el Islam, du monde musulman dans son ensemble, depuis le Maroc à l'ouest jusqu'à l'Indonésie à l'est. On passe ainsi d'un espace de moins de trois cents millions de personnes, l'espace arabe, à environ un milliard, l'espace musulman, et aussi d'une ambition autrefois régionale, à une mondialisation véritable. Mais comme le remarquait si justement le sentencieux Mao Tsé-toung, là où il y a oppression, il y a résistance. A l'ambition violente des islamistes de rétablir le califat en réponse à l'atomisation et à l'aboulie prétendues du monde de l'Islam actuel – « Nous ne sommes rien, soyons tout » –, s'oppose désormais un front tacite des identités nationales les plus fortes qui répugnent à une solution nivelante et nihiliste. Le projet islamiste a commencé à se heurter à la réalité irréductible du Maghreb arabo-berbère en Algérie, dès 1992-1993. Il a provoqué peu à peu le rejet du peuple afghan dans toutes ses composantes, une fois que la vertigineuse régression des talibans eut commencé à apparaître dans son ampleur, après 1997. Il est en train de se casser les dents du Darfour à la mer Rouge sur l'africanité persistante du Soudan. Il connaîtra encore dans les Balkans et le Caucase des remises en cause, qui lui seront localement fatales, dans le sens de la réconciliation avec les voisins chrétiens, serbes, arméniens et russes. Mais de ce magma en fusion, parfois proche de l'épouvante, émerge à présent une certitude : deux identités fortes et historiquement cousines s'affirment de plus en plus clairement pour refuser le projet du califat et lui substituer une autre voie, émancipatrice et civilisatrice, qui jaillit du cœur de l'histoire classique du monde musulman. Touran et Iran, l'identité turque et l'identité perse, intimement associées depuis un millénaire, peuvent à présent dans leur résurrection combinée fournir un nouveau souffle créateur à la totalité du monde de l'Islam : chez les Turcs, Roumi qui pensait et écrivait en persan, et Yünüs Emre, le

Spinoza soufi de la première Turquie anatolienne, chez les Perses, l'imam Reza et sa sœur Massoumeh, Avicenne et Sorawardi, ont préparé une évolution philosophique et religieuse, dont l'aboutissement politique premier aura été, dès 1906 à Téhéran, en 1908 à Salonique et Istanbul, l'émergence de deux révolutions résolument modernisatrices. Cette précieuse énergie accumulée constitue l'obstacle le plus sérieux sur lequel les projets de califat, installés sur la triple crise saoudienne, égyptienne et pakistanaise, se briseront. Partir de l'Iran et de la Turquie d'aujourd'hui, ce n'est donc pas un simple exercice de tourisme politico-culturel. C'est en réalité aborder par son point névralgique le problème le plus intense de notre mondialisation dolente, à savoir la crise résolutoire de l'Islam contemporain. Aider la Turquie et l'Iran à réaliser leur ambition optimale, en ce moment même, c'est tout simplement garantir la victoire de la liberté humaine bien au-delà des frontières de l'Islam. La combinaison de l'occidentalisme turc et du messianisme persan définit en effet une solution originale de démocratie musulmane et de respect de l'autonomie de la sphère spirituelle. Encore faut-il que le chiisme iranien trouve ses ressorts cachés dans l'Islam laïcisé ottoman, que le laïcisme pragmatique turc découvre à son tour la dimension prophétique du chiisme persan et lève avec lui l'interdit de la représentation anthropo-morphique qui a toujours paralysé l'esthétique du sunnisme, pour reconnaître derrière la calligra-phie parfaite, le visage purement humain de la beauté. Cette longue et double ascèse parvient à présent à son terme. Il est temps que Turquie et Iran, enfin associés, fassent entendre leur voix dans notre nouveau monde, et ensemble sachent trouver les gestes qui préserveront les Arabes, enfants d'Ismaël, d'un suicide qui les tente dangereusement.

L'Iran

L'Iran se dérobe au regard. En apparence, un vaste espace qui relie la Turquie et le Moyen-Orient arabe à l'Inde et l'Asie centrale. En réalité, un territoire extrêmement hétérogène, compartimenté de montagnes qui ne laissent le passage qu'à des cols ardus et enneigés l'hiver, qui sont comme autant de portes verrouillées d'une sorte d'escalier en colimaçon qui s'élèverait de la chaleur désertique du Fars – l'ancien pays des Perses, la Perside des Grecs – jusqu'aux hauteurs glacées de neiges éternelles de l'Elbourz qui dominent Téhéran. De l'un à l'autre, des paliers qui relient Hamadan – l'antique Ecbatane – à Ispahan, le vieux cœur du pays, capitale de « l'Iran Merkazi », l'Iran central, puis à Qôm, nouvelle capitale religieuse des ayatollahs, pour atteindre Téhéran, capitale de volonté récente, où la dynastie turkmène des Qajar voulut au XIXe siècle conjurer ses doutes existentiels. Elle prit ainsi un peu de hauteur, en se retirant des parcours désertiques de la transhumance, ceux-là mêmes qu'empruntèrent naguère les conquérants arabes, pour s'abriter à la fraîcheur de l'altitude. Mais encore une illusion : car derrière cet El-bourz apparemment impassable se déploie tout de suite l'arc chatoyant du Mazanderan, cette riviera du caviar et de la Caspienne où les Pahlevi aimaient à méditer, dans leur palais de Babol, la Russie en face. Et à l'est et à l'ouest, deux dira-mations conduisent aux deux capitales véritables de l'Iran historique, Tabriz et Machad. La pre-mière, Tabriz, la capitale des Safavides qui firent du chiisme duodécimain la religion d'Etat du pays au début du XVIᵉ siècle, est une ville totale-ment turque, de langue comme de sentiment laïque et modernisateur, édifiée à l'extrême ouest du pays dans cet effort vers le soufisme de Konya et le laïcisme d'Istanbul, qui fut toujours l'ambi-tion secrète des souverains de l'Iran, jusqu'à ces diplomates de la République islamique qui n'hésitaient pas, encore en 1997, à enflammer la foule intégriste qui manifestait dans le faubourg de Sindjan à Ankara, comme si le basculement de la Turquie allait décider de l'avenir même de l'Iran... Par Tabriz, l'Iran vit dans le voisinage déçu et fiévreux de la Turquie, qui aujourd'hui s'est installée en majesté dans le nord de l'Azerbaïdjan, à Bakou. Mais la seconde de ces villes-phares, Machad, n'est pas moins capitale dans le destin de l'Iran. C'est là en effet que s'élèvent la mosquée et l'école (Haouza) les plus saintes du chiisme, celles consacrées à l'imam Reza, huitième imam dans la succession d'Ali, dont la sœur Fatima Massoumeh est vénérée à Qôm aujourd'hui. Le souvenir de Massoumeh à Qôm est pourtant bien souillé par une théologie misogyne, en opposition avec les enseignements profonds du soufisme chiite et la destinée étrange de « la sœur sans péché » de l'imam Reza, morte de maladie dans cette ville alors arabe, en route pour retrouver son frère à Machad. Est-il le symbole féministe de cette lente pérégrination vers l'est, l'Orient de la révélation qui a animé le chiisme à Damas avec le calife Ali, l'a transplanté en Irak, fait triompher en Iran pour qu'il trouve enfin le repos et le recueillement à Machad ? Né d'une femme, Fatima, l'épouse d'Ali, le chiisme aboutit-il à une autre femme, Massoumeh, en route pour rejoindre son frère, c'est-à-dire, dans la lecture ésotérique si courante en Iran, devenir son égale à la fin des temps, à ce moment tant attendu où l'occultation du dernier imam, le douzième dans la succession d'Ali, aura pris fin.

C'est en tout cas l'imam Reza qui entama le

transfert décisif du chiisme d'Irak en Iran et c'est Reza encore qui fut peut-être, après le sixième imam, Jaafar Sadiq, sans doute le véritable auteur de cette théorie de l'occultation de l'imam de la fin des temps, au moins dans sa version initiale, c'est-à-dire l'introducteur du fondement même du messianisme en Islam. C'est en effet avec la théorie de l'occultation de l'imam, la *ghaïba*, que le chiisme assume sa forme classique et entame son décollement définitif de l'Islam de la mosquée, l'Islam « jamaïte » sunnite, pour devenir une conception du monde foncièrement hétérodoxe.

Si Mahomet demeure en effet dans cette conception le « sceau des prophètes », la lignée des imams qui lui succèdent dans sa mission depuis son gendre Ali, et la théorie des grands théologiens de Nadjaf et de Karbala n'aboutissent pas dans le temps à une conclusion achevée : l'occultation de l'imam, qui deviendra par la suite le douzième, sert à ouvrir le futur. Le destin du chiisme, mais aussi de l'Islam et de l'humanité, est devant nous, non derrière. L'histoire est ouverte, et avec elle le commentaire jurisprudentiel et théologique du Coran. Dès l'imam Reza, mort à Machad en huitième imam, le sens caché de cette succession se fait jour contre le messianisme précoce et furieusement révolutionnaire de l'autre branche, ismaélienne, du chiisme, celle des « Assassins » d'Alamut qui attendent avec trop d'impatience la fin des temps. En s'iranisant à Machad, opposé géométrique de Nadjaf à l'ouest, tendu vers l'Orient extrême, le chiisme imamiste qui deviendra duodécimain un siècle et demi plus tard, après la mort du onzième imam, invente une issue humaniste à la crise née de l'implosion du califat abbasside : la fin des temps nous est pensable, mais elle n'est pas connue.

Et Machad est le point de départ de la route de la soie, qui, à travers Hérat en Afghanistan, et Samarcande, conduit en Ouzbékistan et au-delà en Chine. Autre fausse vision de l'espace iranien : la plus grande part de la frontière orientale n'ouvre que sur une série de vides désertiques et vertigineux, qui annoncent comme une succession d'antichambres, davantage la fin de l'Orient islamique (et autrefois hellénistique) que l'approche de l'Inde : déserts de Kerman, du Séistan en Iran, montagnes afghanes et Baloutchistan aujourd'hui pakistanais, et par-delà le petit intermède du Sind, encore à moitié iranisé, à l'instar de Benazir Bhutto, le désert de Thar qui conduit à l'Inde pauvre et tenace, celle du Rajasthan. Plus escarpée encore, la route de haute montagne qui s'élève après Balkh (rasée par les Mongols, aujourd'hui Mazar-i-Charif en Afghanistan) pour atteindre les cimes du Pamir, au toit du monde, le Badakhshan et le Hunza, ce dernier ultime fief des ismaéliens chassés d'Alamut par les Mongols et dissimulés depuis lors dans les neiges annonciatrices de l'Himalaya. Ces chemins-là ne mènent nulle part, car on leur a préféré dès l'Antiquité la voie de mer de Bassorah à Bahreïn puis à Bombay.

Tout autre la route Machad-Samarcande-Kachgar-Lanchéou-Xian qui fut celle des missionnaires manichéens puis bouddhistes, et met en relation permanente la Chine et l'Iran, les deux voisins véritables. C'est donc à Machad – et à sa sœur sunnite Hérat, aujourd'hui en Afghanistan (les Tadjiks, dont c'est la capitale culturelle, ne sont rien d'autre que des Iraniens demeurés sunnites) – que l'on contemple, comme l'a magnifiquement évoqué Michael Barry dans sa méditation sur la peinture de l'Iran [1]), le véritable espace de la « Perside », ce monde électriquement chargé qui conduit, par un isthme longitudinal emprunté depuis la nuit des temps, de Grèce en Chine. A Téhéran, véritable point médian de

---

1. *La Peinture figurative en Islam*, Flammarion.

cet isthme, on se retrouve à égale distance de Paris et de Shanghai, au cœur de l'ancien monde. L'isthme russe, qui double au nord l'isthme turco-iranien de la Perside, ne peut toutefois s'y substituer : la nature y est un obstacle trop lourd, malgré le tardif Transsibérien. Ici, au contraire, seuls les hommes, en dernier lieu les communistes soviétiques et chinois, ont interrompu la route qui mène sans discontinuité majeure de l'Adriatique (via Egnatia), depuis Durazzo en Albanie, à la boucle du fleuve Jaune. En ce début de XXIe siècle, c'est cette route civilisatrice que d'autres hommes s'efforcent peu à peu de rétablir. L'histoire de l'Iran aujourd'hui s'insère intimement dans ce drame. Elle est le symbole du pont interrompu, en ruine, qu'il faut replacer et remettre sur ses arches. Mais l'Iran ne nous importe pas seulement par ces données qu'il faudrait baptiser de géoculturelles. L'Iran se déplace vers le centre de notre monde contemporain, pour trois autres raisons tout à fait fondamentales : le pétrole, la plasticité de ses frontières, la tradition démocratique enfin.

C'est en effet par le pétrole de ses rivages méridionaux, longtemps délaissés, que l'Iran s'est fait connaître comme un enjeu de première importance, dans les années 1950 du XXe siècle.

Découverts et exploités par les Anglais de l'Anglo-Iranian, qui fut la rampe de lancement de British Petroleum (BP), les hydrocarbures du Khouzistan (Abadan et Khorramchahr), avant de devenir l'exceptionnelle manne au service des gouvernements successifs du pays, ont d'abord été l'instrument d'une tutelle semi-coloniale de Londres qui dura jusqu'au début des années 1950, et a laissé à tous les Iraniens de cuisants souvenirs. Ce fut la gloire (parfois contestable) du grand réformiste laïque Mohammed Mossadegh que d'avoir procédé, sans indemnités, à la nationalisation révolutionnaire du pétrole de l'Anglo-Iranian, et de s'être lancé, de 1951 à 1953, dans un terrible bras de fer avec Winston Churchill. Ce dernier réussit toutefois en 1952 à mettre dans sa manche la nouvelle administration américaine de Dwight Eisenhower, d'abord réticente envers le colonialisme britannique, mais vite inquiète des soutiens communistes dont bénéficiait Mossadegh. Renversé en 1953, vilipendé, Mossadegh demeure un symbole pour les Iraniens, auquel même les ayatollahs n'ont pas totalement osé s'attaquer de front. Il est vrai que leur chef d'alors, l'ayatollah Kachani, avait joué un bien vilain rôle au début des années 1950, en collaborant avec le chah, Londres et Washington à la chute de Mossadegh. Avec l'ingratitude que l'on prétend être l'apanage des grands hommes, le chah Mohammed Reza Pahlevi, sitôt rétabli sur son trône, ne changeait pas un iota à la nationalisation mossadéghiste du pétrole, encouragé en cela en sous-main par les Américains, pétroliers texans notamment, pressés de voir Londres disparaître au plus vite de la scène iranienne. Ce n'est que lorsque, en 1973, le même chah eut détourné une simple grève de protestation saoudienne contre la victoire militaire israélienne en hold-up mondial sur le prix des hydrocarbures, avec la complicité du Venezuela alors social-démocrate – le premier choc pétrolier – que les Américains commencèrent plus sérieusement à se fatiguer de lui et à envisager de jeter sur sa route quelques obstacles, qui se voulaient démocratiques au départ. Aujourd'hui, malgré un boycott américain très modérément efficace, ce sont toujours les mêmes hydrocarbures qui maintiennent à flot le régime des mollahs et lui permettent, grâce à une vaste redistribution sociale, d'acheter une certaine pacification des esprits, favorable à présent aux conservateurs de la mollacratie, comme on a pu encore le constater avec l'élection présidentielle de 2005. Mieux, la potentialité d'une politique pétrolière commune des trois Etats chiites de la zone, Iran, Irak et Bahreïn, rend pensable la création d'un contrepoids de potentiel sensiblement comparable sinon équivalent à l'ensemble saoudien-koweiti-qatari-émirati, c'est-à-dire le conseil de coopération du Golfe actuel moins Bahreïn et Oman, dissidents. L'ampleur du facteur pétrolier dans la politique de l'Iran n'a donc cessé de renforcer l'importance stratégique du pays, et attiré les investisseurs potentiels, malgré la médiocrité extrême de l'économie non énergétique, laissée en déshérence par le régime des mollahs dans une combinaison particulièrement léthargique de socialisme protectionniste tiers-mondiste et de négligence islamobazarie pour la production, tout au bénéfice de la distribution et de l'intermédiation, hors tapis et textiles de base.

La perspective d'un long bras de fer entre l'Occident et l'Arabie saoudite devenue très engagée dans une politique systématique de hausse des prix de l'énergie à laquelle la contraint, indépendamment de son idéologie, sa démographie de plus en plus puissante et la faiblesse de ses investissements dans la prospection, l'autre perspective d'un affrontement de plus en plus inévitable des Etats-Unis avec le Venezuela néopéroniste de Chavez, la certitude enfin d'une pression à la hausse des cours, exercée sur le temps long par les besoins croissants de la Chine et de l'Inde, tous les facteurs envisageables en somme, conduisent à maximiser l'importance du pétrole iranien, dans les vingt prochaines années.

Ce premier point nous conduit instantanément au second : la plasticité des frontières locales. Tous les enfants iraniens des écoles, au temps du chah comme sous les ayatollahs, apprennent que leur pays est bien plus vaste que les frontières actuelles ne le laisseraient penser. Telle la chauve-souris de La Fontaine, l'ancienne Perse est souris, mais aussi membre de la gent ailée, c'est-à-dire tout à la fois chiite et iranophone. Par le premier facteur qui préside à son destin depuis le XVIe siècle officiellement, mais en réalité dès la synthèse puissante opérée par le profond philosophe persan Sorawardi, mis à mort à Alep par le grand conquérant sunnite Saladin (c'est le contemporain culturel de Bernard de Clairvaux et de Maimonide), l'Iran est le cœur du « parti chiite », de ceux qui s'intitulent fièrement « ceux de la Maison » (d'Ali et de Fatima s'entend, ainsi que de leurs descendants), *Ahl Al Beït* en arabe [1].

_____

1. C'est cet intitulé simplissime qu'ont d'ailleurs choisi les chefs de l'Alliance chiite irakienne aux élections législatives de janvier

Pour beaucoup de chiites arabes, scarifiés par des persécutions qui souvent se sont poursuivies hypocritement jusqu'à la fin du XXe siècle, par exemple en Arabie saoudite, le lien émotionnel avec l'Iran demeure ainsi majeur, quoi qu'ils pensent par ailleurs de ceux qui gouvernent ce pays ; très semblable à celui qui, partout dans le monde, unit les juifs à Israël. C'est bien l'opinion de Fadlallah et Nasrallah au Liban, les chefs d'un Hezbollah entièrement dans la main de Téhéran, mais aussi de Sistani, Djaafari, le nouveau Premier ministre à Bagdad, et même des plus laïques chiites d'Irak tels que l'ingénieur nucléaire Sharestani proche de Khatami ou le banquier, ami des néo-conservateurs américains, Chalabi, voire des très modérés chiites de Bahreïn ou de Dubaï, ainsi que bien des chiites duodécimains du Pakistan. Hors d'Iran, pas de salut. Certes, on retrouve les mêmes nuances que dans le monde juif. Certains demeurent très critiques de l'orientation actuelle de Téhéran : c'est ainsi le cas des vieux notables libanais du clan Assaad ou des nouveaux riches prosyriens regroupés derrière Nabih Berri à Beyrouth, des laïques invétérés comme l'ancien

---

2005, pensant bien, à juste titre, qu'il n'y en avait pas de plus mobilisateur.

Premier ministre irakien Iyad Allaoui, de Benazir Bhutto et de ses amis du Parti populaire pakistanais ou encore du président de l'Azerbaïdjan indépendant, Ilham Aliev, bien que le grand-père de ce dernier, ait été un mollah important [1]. Bien des leaders politiques chiites demeurent modérés dans leurs conceptions, à l'instar d'un Henry Kissinger, d'un Robert Badinter ou de l'actuel Premier ministre russe Fradkov vis-à-vis d'Israël. Il n'empêche que le lien émotionnel demeure puissant. Mieux, il tend à s'étendre à tous les groupes minoritaires du chiisme non duodécimain (donc qui ne se reconnaissent pas dans la théorie des douze imams, dont l'ultime volontairement occulté). Ce sont les ismaéliens, disciples ou non de l'Aga Khan, présents au Pakistan, en Inde, dans la diaspora d'Afrique et au Tadjikistan, ainsi qu'au Assir saoudien et en Syrie, mais ce sont aussi les zéïdites du Yémen, largement dominants dans la partie montagneuse de leur pays et de plus

---

1. Le grand mystère demeure ici l'opinion véritable du ministre saoudien du Pétrole, Ali Naïmi, chiite de la majorité pourtant très maltraité du Hasa. Mais n'est-ce pas une habitude des Saoud que de confier la caisse à un allogène qui ne pourra jamais convertir ses immenses responsabilités financières en influence politique directe ? Déjà son prédécesseur, le cheïk Yamani était un enfant juif de Sanaa, converti de force à l'Islam et adopté pour faire bonne mesure par la branche mecquoise des Hachémites. Il est ainsi possible d'exiler ce genre de personnage du jour au lendemain.

en plus tournés vers Téhéran par aversion du grand voisin saoudien, ce sont les alévis, très hétérodoxes, il est vrai, de Turquie et d'Albanie qui gravitent autour de la confrérie des Bektashis, mais se rapprochent de plus en plus, notamment à Tirana, de la théologie duodécimaine, mais pas du tout de l'intégrisme khomeyniste. Ce sont enfin les ansariehs (les combattants) de Syrie, qui depuis un petit siècle préfèrent se faire appeler alaouites, c'est-à-dire partisans d'Ali, pour mieux souligner leur attachement à l'Islam, alors que tout le monde sait en Syrie et au Liban que leur pratique religieuse comporte bien des éléments chrétiens johannites ainsi que d'autres éléments zoroastriens. (Ils s'appelaient autrefois noçris, terme que portent toujours les initiés de la secte, c'est-à-dire littéralement nazaréens, donc chrétiens.) Qu'importe, le quasi-chiisme des Alaouites de la Méditerranée syrienne, couplé à leur alliance politique avec les chiites orthodoxes libanais, les rattache encore au monde complexe des *Ahl Al Beït*, « ceux de la maison d'Ali ». Il n'est pas jusqu'à la famille du Prophète et de l'imam Ali qui se continue aujourd'hui à travers la puissante famille des Hachémites, au pouvoir en Jordanie, autrefois en Irak, et toujours présente par ses cousins et alliés à La Mecque et en Oman, que certains théologiens libéraux des *haouzah* de Qôm et de Nadjaf ne considèrent comme potentiellement rattachables à la « famille ». Bien qu'officiellement sunnites, d'école juridique chaféite, ces dynastes, initialement originaires du Hedjaz, n'affectionnent-ils pas tout particulièrement les grands prénoms à connotation chiite, Ali, Hassan, Hussein ? L'accueil fait au roi Abdallah de Jordanie à Téhéran, en 2003, après la chute de Bagdad et la reprise des relations diplomatiques entre les deux pays, malgré la reconnaissance d'Israël par la Jordanie, laisse en tout cas penser que beaucoup d'Iraniens partagent encore cette sympathie dynastique pour les authentiques descendants du Prophète, et pas seulement dans le but évident et réussi de gêner une fois encore l'Arabie saoudite, « usurpatrice des lieux saints ». Quand le roi Abdallah se fait donc l'avocat des sunnites d'Irak, de Syrie et du Liban qu'il juge menacés par une nouvelle hégémonie chiite Beyrouth-Damas-Bagdad-Téhéran, la diplomatie iranienne est enchantée de lui répondre directement et de lui assurer par là même un statut d'interlocuteur privilégié, dont ne jouira jamais le Baas laïque et impie. Ainsi vont les subtilités de l'identité chiite de l'Iran.

Mais l'Iran n'en est pas moins... iranien tout

simplement. Certes, la langue ne suffit pas à unifier des peuples aussi différents des Perses que Kurdes, Ossètes, Pathans et Baloutches. Il n'empêche que l'identité ethno-culturelle facilite toujours les rapprochements. A l'ouest, les Kurdes parlent une langue très proche du persan, et fêtent le jour de l'an – le Nowrouz – au début de mars, tout comme leurs cousins perses. Le petit groupe des Kurdes chiites – Faylis – auquel appartenait le vieux compagnon de Mossadegh, Karim Sandjabi, premier ministre des Affaires étrangères de Khomeyni, est presque entièrement assimilé à la culture persane en Iran, mais aussi en Irak où Saddam Hussein cherchait en permanence à l'expulser du pays. Malgré le contentieux avec les divers régimes iraniens, beaucoup de Kurdes avaient tout de même une préférence pour la culture persane, au détriment de la culture turque à l'ouest, mais surtout de la culture arabe au sud. Proches cousins des Kurdes, les Louris chiites sont presque entièrement assimilés à la nation iranienne, tandis que les Baloutches du Sud-Est, dont la langue est très proche du kurde, partagés entre un tiers pour l'Iran et deux tiers pour le Pakistan, se révoltent à nouveau contre le pouvoir à Islamabad, juste après avoir perdu leur unique Premier ministre de l'histoire pakistanaise

Mir Ahmed Khan Jamali, le dynaste de Qalat, au centre de la province. Ils ne tarderont pas à se tourner à nouveau vers Téhéran et secondairement vers Delhi.

Des minorités directement persanophones demeurent par ailleurs en Azerbaïdjan, Talychs au sud et surtout Tates au centre (ces derniers essentiellement juifs ou fraîchement convertis au chiisme), qui maintiennent l'usage du persan dans cette importante république turque ex-soviétique qui demeure très tournée vers l'Iran voisin. Enfin, les grandes villes traditionnelles de l'Asie centrale, ex-soviétiques elles aussi, sont demeurées des îlots de langue persane, qu'il s'agisse de Boukhara ou de Samarcande, d'où provient le président ouzbek actuel, Islam Karim (dont le père se déclarait encore tadjik à l'époque soviétique). Même chez les turcophones, ouzbeks, karakalpaks, et même ouïghours de Chine, les Turcs anatoliens venus de l'ouest constatent à leur grand regret que la langue parlée leur est presque inintelligible – il s'agit en fait du turc oriental ou djagataï, codifié comme langue écrite à l'époque de Tamerlan au XIVe siècle – en raison du très grand nombre de vocables persans qui y sont en usage. En Afghanistan, les Tadjiks sont de purs persanophones, et leur rivaux Pathans (ou

Pashtounes), malgré leur morgue très particulière, qui provient chez certaines de leurs tribus d'une origine juive hautement proclamée, parlent tous – au-dessus d'une certaine condition – ce qu'ils appellent la « langue de cour » ou dâri, qui n'est que du pur persan, un peu archaïsant, un peu « québécois ».

Dans l'Inde traditionnelle, les influences persanes, en peinture comme en poésie, demeuraient dominantes jusqu'à la fin du XVIIIe siècle, et une langue au moins de l'ouest de l'Inde, le sindhi, parlé à Karachi et dans les campagnes du bas Indus, est plus chargée encore de vocables persans que le turc djagataï. Certes, la très grande majorité de ces iranophones kurdes, baloutches, pathans sont sunnites ainsi que les Tadjiks, purement persanophones (mais qui comprennent une minorité ismaélienne fidèle à l'Aga Khan dans le Pamir, à laquelle appartient l'actuel président du Tadjikistan, Imam Ali Rakhman) [1]. Il n'empêche que l'influence culturelle de l'Iran y

---

1. Il demeure en Afghanistan une grande minorité chiite persanophone, les Hazaras, descendants des envahisseurs mongols, et totalement tournés, après l'effondrement du communisme à Kaboul, vers Téhéran, et enfin dans les grandes villes (Hérat, Kaboul, Mazar-i-Charif) quelques familles demeurées fidèles aux douze imams et qu'on surnomme (en turc) *kyzylbash*, les Bonnets Rouges (même appellation en Turquie aujourd'hui).

est demeurée dominante. Face à la pression de l'armée pakistanaise et des intégristes arabes, n'est-ce pas vers Téhéran que s'est spontanément tourné le leader des Tadjiks afghans Ahmed Shah Massoud, ainsi que son allié le mollah sunnite modéré antiwahhabite Burhanuddin Rabbani ? De même au Tadjikistan, c'est Téhéran qui soutenait avec Massoud, depuis son réduit afghan, l'insurrection « islamo-démocrate » locale ; Massoud y a d'ailleurs poussé, dès 1995, ses alliés à se réconcilier avec les communistes soutenus par Moscou, dans le cadre plus général de l'alliance globale de l'Iran avec la Russie.

Cette double plasticité, chiite et iranophone, des frontières de l'Etat iranien, tout comme la langue d'Esope, pourrait être la meilleure et la pire des choses. Elle est d'ailleurs en ce moment même la meilleure, où à Kaboul, sous sa forme iranophone, et à Bagdad, sous sa forme chiite, elle sert à consolider la stabilité régionale et à opposer un verrou à l'intégrisme salafiste d'Al Qaïda et de ses alliés militaires pakistanais. Et pourtant, au Liban, elle fait toujours planer une menace terroriste sur Israël et une menace totalitaire sur Druzes et chrétiens insurgés contre Damas, tandis qu'en Iran même, elle conduit à refuser toute autonomie culturelle à l'importante minorité kurde, essentiellement sunnite. Mais pour l'essentiel, l'extraversion iranienne contraint le régime islamique à se modifier dans le bon sens : la plupart des alliés structurels de Téhéran, héritiers tadjiks de Massoud en Afghanistan (dont son propre frère), partisans de Benazir Bhutto au Pakistan, chiites libéraux des micro-Etats du golfe Persique, bloc chiite du grand ayatollah Sistani en Irak, sont plus avancés sur le terrain politique que ne le sont les mollahs iraniens. Toute l'ambition actuelle de Rafsandjani est de les rejoindre à présent. Pour l'instant le suffrage universel ne le lui permet pas. Mais a-t-il dit son dernier mot ?

Staline a connu cette situation où l'Espagne républicaine de 1936 et puis, après 1945, la Yougoslavie titiste des partisans, la Tchécoslovaquie semi-démocratique de Slansky et la Bulgarie progressiste de Dimitrov menaçaient de leurs ombres libérales la nudité de sa dictature sur le monde russe et russifié. On sait comment il y répondit, mais on doute que le guide de la révolution Khamenei et les tenants du pouvoir théocratique, la Velayat-e-Faqih, parviennent à organiser au cœur du régime le type de procès que subirent, dans les années 1950, anciens d'Espagne et communistes nationaux en Europe de l'Est. Comparaison n'est pas raison, même si Ahmadi-Nedjad n'aspire qu'à la liquidation de ses adversaires selon les méthodes staliniennes ou plutôt hitlériennes... [1] ou plutôt, il pourrait arriver bientôt à Téhéran ce qui aurait fini par arriver à Moscou si Staline n'avait pas réagi si violemment aux vents adoucissants venus de Prague et de Belgrade, aux parfums libérateurs de Madrid et de Barcelone : un véritable printemps des peuples. Comment imaginer un tel développement ?

Il se trouve que l'expansion iranienne actuelle se heurte déjà, et se heurtera davantage encore, à l'avenir, à deux obstacles qui la contiennent : Israël et l'armée pakistanaise. La dissymétrie de ces deux éléments est patente. Israël n'a que des buts limités et défensifs face à l'expansion iranienne. L'État hébreu doit empêcher que le Liban ne se transforme en plate-forme d'agression contre son territoire, et tout comme les Etats-Unis pour Cuba, il ira au conflit généralisé et déplafonné si des missiles iraniens dépassant une certaine capacité y sont déployés, avec, ou pour l'instant sans, têtes nucléaires.

---

1. Auxquelles il eut largemenr recours comme organisateur de l'assassinat à Vienne du leader kurde Ghassemlou, sans parler de l'assaut de la Brigade Al-Quds contre le siège de la communauté juive et l'ambassade d'Israël à Buenos Aires.

Pour le reste, rien n'oppose sur le fond Jérusalem et Téhéran. Ni l'avenir d'une Syrie que chacun des deux gouvernements considère avec prudence, tant la perspective d'une implosion du pouvoir baasiste-alaouite ne comporte que des inconvénients pour chacun, ni l'expression plus marquée de l'identité chiite à Bahreïn ou dans les Emirats, qui contrecarre en réalité les desseins des intégristes sunnites soutenus par les oulémas wahhabites, ni surtout la consolidation du pouvoir irakien actuel qui a cessé, dans les faits, de soutenir, à la manière dont le faisait Saddam Hussein, l'aile intransigeante de l'OLP. Une joint-venture irano-israélo-russe apparaît même déjà en pointillés sur la carte : la communauté druze, tant au Liban qu'en Syrie, qui, malgré l'attachement personnel de Walid Djoumblatt aux souvenirs héroïques et croisés d'Adolf Hitler et de Che Guevara, demeure en sympathie forte avec ses frères du Sud parfaitement intégrés à la démocratie israélienne tout en conservant une certaine forme de symbiose nostalgique avec Moscou, dans la mesure où son parti-guide, le Parti socialiste-progressiste du Liban, joua longtemps (et même en Libye) le rôle de milice supplétive du KGB. La communauté druze, moins divisée qu'on ne pourrait l'imaginer entre ses trois réalités étatiques libanaise, syrienne, israélienne et ses deux clans principaux, Djoumblatti (gauche) et Yazbeqi (droite) poursuit un dialogue spécifique sur l'avenir du Sud-Liban et du Golan avec les émissaires de Damas comme avec ceux de Téhéran.

Avec le Pakistan au contraire, ou plutôt son armée de plus en plus tentée par la fuite en avant extrémiste, rien ne peut s'arranger à court terme : la fusion asymptotique des desseins stratégiques de l'Arabie saoudite et de la dictature militaire d'Islamabad a pour conséquences successives une aide discrète mais persistante aux talibans pathans et à leurs alliés directs ouzbeks en Asie centrale, un encouragement aux sunnites d'Irak, alliés aux Frères musulmans de Syrie, du Liban et de Qatar, à poursuivre le Djihad antichiite depuis Mossoul jusqu'à Bagdad, une contagion organisée de cette lutte antichiite qui se poursuit en Irak, sur les minorités chiites du Pakistan et de l'Arabie saoudite, et à terme une coopération balistique puis nucléaire de l'Arabie saoudite avec Islamabad qu'a précédée une synergie financière, décisive pour la réalisation des ambitions stratégiques de l'armée pakistanaise.

Bref, la dynamique actuelle va dans le sens d'une aggravation de la tension géopolitique entre l'Iran et le binôme pakistanais-wahhabite, d'un relâchement au contraire face à Israël. L'émergence d'un compromis acceptable avec Téhéran en matière nucléaire, arraché par la coopération des Etats-Unis, de l'Europe et de la Russie scellerait cette nouvelle réalité et mettrait, une fois encore, Israéliens et Iraniens du même côté, celui opposé à une émergence nucléaire de l'Arabie saoudite et de l'Egypte. Or, les proliféra- teurs égyptiens et saoudiens, que Téhéran redoute tant à terme, sont aussi ceux qui ne veulent pas d'un compromis historique israélo-palestinien qui conforterait Abou Mazen, ni d'ailleurs d'une Jordanie hachémite en marche vers la prospérité et le libéralisme, véritable pont entre les deux expériences démocratiques en cours en Palestine et en Irak. L'Iran a d'ailleurs rétabli des relations fort cordiales avec les Hachémites de Jordanie, tandis qu'un prince de la branche irakienne de la famille hachémite siège à présent au parlement de Bagdad dont il est l'un des vice-présidents. Pour peu que le Hezbollah libanais, rassasié par sa cooptation au pouvoir par la démocratie libanaise renaissante, opère le même tournant stratégique que son homologue irakien, le Scirri d'Abdel Aziz al Hakim, revenu de Qôm pour contrer les extrémistes de Moktada Sadr, et le dernier obstacle géopolitique à une normalisation irano-israélienne aura été levé.

Là-dessus la victoire surprise d'Ahmadi-Nedjad à Téhéran ne peut que compliquer encore une situation déjà dense en paradoxes : membre fondateur de la Brigade Al-Quds (la Brigade de Jérusalem), sorte de force spéciale des pasdarans, organisatrice des attentats-suicides notamment au Liban, et des liquidations d'opposants à l'étranger, Ahmadi-Nedjad, bien qu'il n'ait longtemps pas eu droit à la parole, est un opposant notoire à la Realpolitik, conduite ces dernières années par Rafsandjani à la tête du « Conseil de Discernement », et même le guide de la révolution Khamenei, en tant que « Guide ». Mais le « redressement » auquel il aimerait présider sur les trois fronts de la police des mœurs, contre la jeunesse de Téhéran, de la résistance à l'Amérique, contre les chiites d'Irak et du golfe Persique, du passage au nucléaire militaire, contre les prudences des négociateurs actuels avec l'Europe, ne peut que rapidement provoquer une crise majeure qu'attendent à présent tous ses adversaires. Or, des trois dossiers, l'Irak est en réalité le plus sensible. Téhéran peut supporter dans un premier temps le durcissement répressif en serrant les dents, l'Iran peut encaisser un nouveau train de sanctions occidentales, fort de ses excédents d'hydrocarbures en période de hausse très rapide des prix, et de la neutralité des Russes et des Chinois au Conseil de sécurité. En revanche, un renversement des alliances, au profit des talibans et des militaires pakistanais en Afghanistan, des djihadistes sunnites en Irak et des Frères musulmans en Syrie, ferait exploser d'un coup toute la politique étrangère iranienne, et surtout mettrait en évidence la trahison pure et simple des Iraniens tadjiks et des chiites du monde arabe, immolés par un simple hochement de tête sur l'autel du préjugé anti-américain et antisémite. Même le Hezbollah libanais qui eut le réflexe initial de prôner une telle politique – avec au début une brouille entre son chef actuel Nasrallah, longtemps au service direct de Damas d'un côté, et le père fondateur du mouvement Fadlallah de l'autre, beaucoup plus proche quant à lui, des grands ayatollahs de Qôm, irait regarder à deux fois avant d'embrasser les frères ennemis de sa communauté : les salafistes notamment palestiniens et libanais et Al Qaïda. Nasrallah lui-même ne s'est-il pas lancé en juin 2005 dans un éloge remarqué du Premier ministre irakien Jaafari qui fut son camarade d'études à Nadjaf, il y a un bon quart de siècle ?

En supposant même que le nouveau président iranien dispose de pouvoirs véritables en matière de politique étrangère et de renseignement, l'application de ses idées directrices ne pourrait que conduire à une crise majeure à Téhéran. La plasticité universelle des politiques étrangères est une idée fausse qui se retournera très vite ici contre ceux qui la prônent.

Pour qu'une stabilisation irano-pakistano-saoudienne soit envisageable, il faudrait en effet que le général Parviz Mussharraf à Islamabad et le roi Abdallah à Riyad parviennent à imposer à leurs propres troupes le renoncement au chantage nucléaire pakistanais, la tolérance envers les chiites, l'acceptation du nouvel Irak, la rupture définitive avec les talibans et toutes les facettes d'Al Qaïda. Un tel basculement du front sunnite actuel demeure possible, mais il passe alors par le triomphe des exigences américaines sur ses anciens alliés saoudien et pakistanais, donc, à la fin de ce processus hypothétique, par une nouvelle convergence de Washington et de Téhéran puisque le chiisme d'Irak, du Golfe et du Pakistan en serait alors l'ultime bénéficiaire.

Plus probablement, la rigidité sunnite sera-t-elle plus durable que certains ne l'imaginent encore outre-Atlantique. Elle pourrait fort bien, par réanimation de la vieille alliance Pékin-Islamabad, bénéficier d'un appui inattendu de la Chine, en pleine effervescence nationaliste, exaspérée par la recherche de sources plus sûres d'approvisionnement pétrolier et déjà engagée, au Soudan par exemple, dans une cour assidue aux forces islamistes locales, celles-là mêmes qui se distinguent quotidiennement au Darfour par des massacres aux proportions médiévales, sans faire pour autant la une de nos journaux.

Le prolongement de cette courbe d'évolution placerait automatiquement l'Iran dans le même camp que ses deux partenaires d'ores et déjà reconnus comme tels, la Russie et l'Inde, et tacitement aux côtés des Etats-Unis et d'Israël, dans un « containment » d'un axe Riyad-Islamabad-Pékin. Or cet axe, prolongé vers une Egypte où les islamistes s'affirmeraient davantage encore, et le Venezuela de Chavez, constituerait enfin (avec José Bové et *Le Monde diplomatique* bien entendu) le front antimondialiste semi-totalitaire auquel tant de forces destructrices aspirent. Ce serait pourtant alors l'heure de la démocratie et de la liberté iraniennes, dont tous les intérêts géopolitiques à long terme commandent une opposition véritable à cette conjonction désespérée de stalino-maoïsme national chinois et d'intégrisme sunnite, propagandiste et suicidaire, saupoudré de gâtisme castriste et de tricherie analphabète néo-péroniste. Certes, une fois encore, Ahmadi-Nedjad peut encourager une autre politique, de soutien à ce front antimondialiste en voie de constitution. On remarquera toutefois que la Chine, si elle choisit la voie de l'agressivité anti-impérialiste, s'appuierait d'abord et avant tout sur un axe pakistano-saoudien, car sa priorité stratégique deviendrait alors le renforcement de l'armée d'Islamabad contre l'Inde, et la mise à disposition par le Pakistan de la vallée de l'Indus pour y bâtir un gigantesque oléoduc reliant Gwadar sur la mer d'Oman à la frontière chinoise, au Hunza, afin de se dispenser ainsi d'un approvisionnement pétrolier par des routes maritimes, trop vulnérables aux agressions américaines. Une alliance sino-pakistanaise étroite, opposée au régime Karzaï à Kaboul et qui relancerait l'intégrisme pathan des talibans n'est pas meilleure pour Téhéran que pour Washington.

Quant à la stratégie pétrolière, elle peut également évoluer différemment : aujourd'hui, Téhéran, qui a sur les bras des excédents considérables, devrait jouer davantage dans un premier temps l'extension de ses parts de marché que la hausse systématique des prix, à la saoudienne.

Enfin, rien ne dit que la Russie verrait long-temps d'un très bon œil une fuite en avant natio-nale-communiste chinoise dirigée contre l'Inde et le Japon, en alliance avec les soutiens saoudiens et pakistanais de l'insurrection tchétchène. Or l'Iran dépend encore largement du bon vouloir technologique de la Russie pour la réussite de son programme nucléaire militaire. Ici, toujours aussi paradoxalement, la plus grande infamie commise sur le terrain international par la Russie depuis 1991, l'aide à la prolifération « made in mollahs » accordée d'emblée par Boris Eltsine, aurait un effet tout à fait positif in fine, empêchant une alliance trop étroite et anti-américaine de Téhéran et de Pékin.

C'est ici qu'interviendrait massivement le der-nier tropisme fondamental de l'Iran, qui le porte vers une forme sui generis de démocratie partici-pative, celle-là même que Michel Foucault, moins aveugle qu'on ne l'a cru à l'époque, avait entrevue dès les années 1970, en sautant allégre-ment, il est vrai, sur l'inévitable traversée terro-riste de la République islamique, qui n'en était que le prélude : l'appétence du chiisme classique à une forme de « démocratie rousseauiste » incontestable. Il est en effet hors de discussion qu'il existe un fil solide qui relie le chiisme

« imamiste » (ou duodécimain) des Iraniens et leur aspiration actuelle à l'établissement d'une démocratie complète.

Qu'est-ce que le chiisme en effet? Tout d'abord, une vision tragique et non réconciliée du monde : la vision du retour, après son occultation, du douzième imam. Ensuite, une libération intellectuelle fondamentale, celle du commentaire, « l'ouverture de la porte de l'*Ijtihad* ». Enfin, la plus précaire, mais aussi la plus prometteuse, la perspective d'une séparation nécessaire, pour la première fois dans l'univers de l'Islam, de l'Etat et de la religion, non sous la forme kémaliste d'une subordination de la seconde au premier, mais dans l'équilibre de deux forces, agissant désormais sur des plans différents.

Vision tragique tout d'abord : l'histoire des premiers imams chiites est celle d'un long martyrologe où se déploient toutes les formes de la cruauté humaine : le meurtre et le cynisme sans phrases du califat ommeyade tout d'abord (que les chiites comparent aujourd'hui à Saddam Hussein) à l'encontre d'Ali et de Hussein, à force ouverte. La ruse infinie, ensuite, des califes abbassides, qui utilisent l'énergie propulsive du chiisme populaire de l'Irak pour renverser les

Omeyyades, puis après l'avoir berné, celles-ci la persécutent de plus belle. Tous les imams de ce temps sont des descendants directs du Prophète par Fatima, et d'Ali, le calife réformateur, quatrième à avoir occupé cette fonction. Ils coexistent de plus en plus difficilement avec les califes abbassides qui, tels les shoguns vis-à-vis de l'Empereur, autrefois au Japon, les surveillent de très près, tout en faisant mine d'honorer leur légitimité familiale, et le plus souvent les font assassiner au bout de quelques années, dans un recoin du sérail. Une seule occasion semble préparer un basculement sans précédent, une trouée dans l'histoire oppressive des califes : c'est le ralliement d'Al Mamoûn, le fils de l'illustre Hârôun al-Rachid, à la personne du huitième imam, Ali Ridha (Reza en persan). Sans doute inquiet du défaut de légitimité de sa dynastie, le calife abbasside, qui cherche aussi, tel un Atatürk médiéval, à propager la doctrine hyperrationaliste des moutazilites comme philosophie officielle de l'Etat, se rapproche du chiisme et veut désigner Ali Reza, avec lequel il a été élevé, dans les confins orientaux de l'Empire, à Merv (dans l'actuelle Turkménie), comme successeur. Malheureusement, la révolte d'une partie de son armée, à Bagdad, l'amène à reconsidérer son audace : Ali Reza sera sacrifié à la raison d'Etat et mourra, sans aucun doute empoisonné par son propre bienfaiteur Al Mamoûn, sur la route de Merv à l'Irak, dans la petite ville persane de Tus, au Khorassan d'où provient aussi le grand mystique Roumi). Sur sa tombe s'élève rapidement un mausolée en l'honneur du martyr – un *machad* en persan – qui donnera son nom à la ville nouvelle qui s'étend bientôt et deviendra l'une des deux villes saintes avec Qôm de la translation progressive du chiisme d'Irak vers l'Iran. Bourrelé de remords, Mamoûn avait encore cherché à adopter, par un mariage avec sa propre fille, le fils d'Ali Reza, Mohammed Jawad. Mais son successeur, le très réactionnaire Moutassim, ne prend pas de risque et fait assassiner le jeune Jawad à vingt-quatre ans ; puis le nouveau calife Mutawakil se débarrassera tout aussi discrètement du dixième imam, Ali Hadi, et fera détruire une première fois le sanctuaire de Nadjaf [1], entraînant par contrecoup la croissance d'un nouveau lieu de substitution iranien, à Qôm, vieille colonie

---

1. Les Wahhabites rééditeront ce triste exploit au XVIIIe siècle par fanatisme antichiite, en rasant pour leur part le sanctuaire de Hussein à Karbala, avant d'être refoulés vers le désert par l'armée ottomane, et tout récemment Zarkaoui et Al Qaïda ont attaqué une fois encore à l'explosif le sanctuaire de Nadjaf, en février 2004, à l'occasion du 10 Moharram (l'Achoura), qui commémore le martyre de Hussein.

d'Arabes chiites de Koufa, où Massumeh, la sœur d'Ali Reza, nous l'avons vu, était morte d'épuisement avant de rejoindre son frère : les tombeaux de Qôm et de Machad sont désormais associés pour se conjoindre à la fin des temps, comme le masculin et le féminin (mais sans la connotation sexuelle de la tradition juive, hélas, puisqu'il s'agit de l'union mystique d'un frère et d'une sœur).

Le onzième imam dans la descendance d'Ali, Hassan Askari (« le militaire ») passera le plus clair de sa vie dans la garnison de Samarra en Irak, et semble être disparu sans descendance mâle. On conçoit bien l'extinction anthropologique progressive de cette malheureuse lignée, vouée à la persécution systématique.

Mais, au moment où s'achève ainsi tristement l'ambition dynastique et théologico-politique du chiisme arabe classique, commence pour de bon l'odyssée mystique d'un chiisme métapolitique, dont le centre de gravité demeurera constamment iranien. La transition est assurée par un mythe fondateur : celui de l'occultation du fils d'Hassan Askari, qui serait parvenu à échapper à l'emprisonnement et qui continue à diriger le mouvement d'un lieu inaccessible. Bien vite, cette légende devient factuellement intenable et sera réinterprétée à l'iranienne sur le plan symbolique. Ici triomphe enfin une doctrine qui fut déjà celle du plus grand des imams, Djaafar Sadiq (« le sincère »), sixième dans la lignée d'Ali, qui fut aussi le dernier d'entre eux à reposer dans le cimetière de Médine. Ce dernier, témoin préoccupé de l'usurpation abbasside (il est l'exact contemporain du calife Mansoûr, le frère de Hârôun al-Rachid des *Mille et Une Nuits* et de l'amitié avec Charlemagne), a le premier développé une sorte de quiétisme théologique, visant à calmer les enthousiasmes suicidaires de ses partisans les plus chauds, et qui rappelle de façon frappante, dans le judaïsme, le triomphe du parti rabbinique des pharisiens, contre les sectaires millénaristes zélotes et esséniens, au lendemain de la destruction du second Temple : l'approfondissement de la doctrine et la méditation sur la négativité à l'œuvre dans l'histoire s'y substituent peu à peu à l'exigence de révolution immédiate. La fidélité dynastique se métaphorise en attente des temps nouveaux et d'un avenir messianique où reviendra une sorte de réincarnation d'Ali, le Mahdi ou prophète de la fin des temps. Nul doute que cette inflexion tout à la fois mystique et rationaliste de l'Islam, dans le chiisme, n'ait eu une profonde répercussion, notamment chez les musulmans les plus récents, qui ne faisaient pas partie de la communauté originelle des premiers conquérants arabes.

La doctrine comporte un volet mystique essentiel, puisqu'elle substitue à la lumière apparente de la révélation coranique l'obscurité discursive et éthique du temps vécu, que seuls l'interprétation, la métaphore, les symboles permettent de déchiffrer peu à peu. Et cette doctrine parvient à s'équilibrer dans le paradoxe apparent d'une réhabilitation de la raison et de l'énergie humaines, seules capables de nous guider dans les traverses de l'histoire jusqu'à la fin de l' « occultation » (la *ghaïba*), dont la levée ne peut venir que de la collaboration des hommes à cette création continuée. Plus tard, Max Weber montrera, à propos de la formation de l'éthique protestante, comment la proclamation de la prédestination – au-delà de toute liberté humaine – déploie paradoxalement toute l'énergie laïcisée de l'Agir humain dans un monde désenchanté où Dieu n'intervient pas pour récompenser le fidèle de ses actes propitiatoires. La justification par la seule Foi ouvre un champ illimité à une énergie humaine laïcisée. Ici, dans le chiisme de manière analogique, l'occultation du temps historique, de son rythme et de ses développements, libère le fidèle du souci de se conformer en toutes choses à une loi révélée et intangible, ainsi qu'à une origine arabe aussi aristocratique que mythique, qui ne peuvent dans la nuit profonde du martyrologe chiite se substituer à l'exercice de la volonté libre. C'est ainsi que la doctrine moutazilite, laquelle exalte la liberté pratique des hommes qui collaborent ainsi par l'exercice de leur raison au dessein de Dieu, née en milieu sunnite à Bagdad et un temps officialisée par le califat abbasside, ne survit depuis lors que dans la doctrine chiite, où elle demeure enseignée comme modèle de logicisme créateur, qui prépare les religieux à l'exercice suprême de l'interprétation (libre)! L'*Ijtihad*.

Cet équilibre atteint entre obscurité du dessein de Dieu et libération de la raison humaine, nous le retrouvons à un niveau inférieur entre fidélité dynastique aux Hachémites (la sainte famille de Mahomet et d'Ali) et libération de l'environnement arabe : la filiation spirituelle avec la famille du Prophète vaut bien la semi-élection des Bédouins du premier Djihad. L'ennoblissement devient personnel et individuel et non plus tribal ; la dévotion à Ali créera ipso facto beaucoup de maréchaux d'empire (et dans l'Iran contemporain beaucoup de descendants réels ou supposés des onze imams, qui portent le titre aristocratique de Sayyëd et le turban noir inamovible [1]), tel l'ancien président Khatami.

Déjà en Irak, des Iraniens fraîchement convertis (les mawalis qui jouent un rôle central dans la chute des Omeyyades), des juifs encore plus récents musulmans, comme le poète Sayid Himyari, dont le ralliement à Djaafar Sadiq et à ses doctrines quiétistes est un moment historique important de l'histoire du chiisme, avaient trouvé dans le parti d'Ali un milieu plus accueillant, parce que ouvertement réformateur des errements du califat, très exactement comme la gauche de la IIIe République française avait pu s'ouvrir aux protestants, aux juifs et aux immigrés italiens de fraîche date. Mais bientôt, le déplacement du centre de gravité du parti d'Ali vers le monde iranien va y ajouter une touche définitive de messianisme perse et de syncrétisme assimilateur.

Ici, il s'agit de l'active prédication du grand philosophe mystique Sorawardi qui achève à sa manière la cristallisation du chiisme, au temps des croisades et de la grande victoire de Saladin, son irréductible ennemi. Il est vrai que Saladin,

---

1. A la différence du turban blanc des simples religieux tels Rafsandjani ou Khamenei.

libérateur de Jérusalem et restaurateur d'un pouvoir sunnite incontesté à partir de l'Egypte, délestée de ses derniers souverains ismaéliens, les Fatimides, avait tout pour s'opposer au jeune prodige iranien, dont les pérégrinations, commencées en Anatolie chez les Turcs, l'avaient finalement conduit à Alep, la plus vieille ville de la planète, où il exerçait une influence intellectuelle, jugée délétère par les oulémas, sur le propre fils du conquérant, Malik Zahir. La théologie de Sorawardi avait en effet de quoi inquiéter les puissants : ce descendant de mages mazdéens s'emploie à faire rentrer la sagesse de l'ancienne Perse et le platonisme, traduit partiellement en arabe, ainsi que l'hermétisme et l'œuvre de Plotin dans une puissante synthèse chiite : le dévoilement de l'histoire qui découle de l'occultation (la *ghaïba*) provoque en effet un affrontement permanent des ténèbres et de la lumière, dont Zarathoustra a ouvert dans l'ancienne Perse les voies de l'interprétation eschatologique. Entre ainsi dans la doctrine chiite, qui s'en est réclamée jusqu'au XXᵉ siècle, le legs iranien du mazdéisme et du manichéisme (un mazdéisme judéo-chrétien) qui fait de ce monde visible le lieu d'une déréliction, et de la sortie de celui-ci par le symbolique, la méditation, mais aussi l'action, le moment d'une libération radicale, assimilée depuis Avicenne au triomphe de l'Orient (un Orient très symbolique s'entend). On ne peut ici comparer Sorawardi qu'aux progrès foudroyants du catharisme dans le Languedoc des comtes de Toulouse, la vallée du Pô et les Balkans bogomiles. Remises en cause, toutes radicales, de l'ordre existant, ces doctrines qui ré-exhument le thésaurus oublié de la civilisation iranienne antique, entraînent définitivement le chiisme duodécimain dans la rupture et l'innovation.

Dans son exil et sa rédemption vers l'Orient, l'âme retrouve la lumière et met fin en son temps à la *ghaïba*, à l'occultation majeure. Le travail de la raison et l'englobement de toutes les sagesses anté-islamiques dont celle, persane, de Zarathoustra sur le mode majeur conduisent ainsi à deux conséquences ultimes : la liberté de l'interprétation de la Loi (*Ijtihad*) qui n'est pas le caprice des circonstances, mais le mouvement même de l'émancipation de l'âme, le respect des cultures antérieures à l'Islam, qui sont toutes présentées, telle l'annexion de Homère, Virgile et des Kabbalistes par les humanistes de la Renaissance européenne, comme des anticipations fécondes et légitimes de la double révélation de Mahomet et d'Ali. En Turquie, comme en Inde, on verra ainsi

le chiisme associé à la subsomption des rites
païens de la fécondité à Konya, à la légitimation
des purifications hindoues, à Lucknow et Haïde-
rabad comme au Sind.

Il manque encore deux pierres essentielles à
l'achèvement de l'édifice. Celles-ci nous proviennent d'abord de la conversion de nombreux
Turcs au chiisme. Les Turcs apportent en toute
chose un esprit pratique, parfois brutal (songeons
à ce que des kémalistes bien intentionnés ont pu
faire de Jules Ferry et d'Emile Combes au fin
fond de l'Anatolie), mais toujours tourné vers la
réalisation. A la fin du XVe siècle, un précipité se
forme au cœur d'une région comprenant l'Azerbaïdjan, le nord de l'Irak et l'est de l'Anatolie :
un dynaste turkmène, Uzun Hassan, qui unifie les
tribus köyünlü, coopte un derviche soufi kurde du
nom de Joneïd, lui-même descendant d'une
lignée de sages soufis de la famille Al Safi, en le
prenant pour gendre. La dynastie safavide est née,
et elle précipite dans un seul creuset l'habileté
guerrière des nomades turkmènes et le chiisme
synthétique (parfois à demi païen) des nouveaux
adeptes : les kizilbash turcs (ou « Bonnets Rouges » décorés de douze carrés en l'honneur des
douze imams), bientôt rejoints par des Persans en
révolte. Ceux-ci conquièrent non sans sauvagerie

la totalité de l'Iran, alors majoritairement sunnite encore, faisant réémerger, après l'Egypte des mamelouks, une seconde puissante construction géopolitique du passé, l'ancienne Perse.

Tout le territoire, dont les fiefs sunnites de Chiraz, Hérat, Ispahan et Hamadan, est converti de force à la doctrine des douze imams et l'expansion se poursuit au tout début du XVIe siècle, avec les prises de Bagdad et de Machad. Mais, exalté et sectaire, ce premier califat chiite turc sera vaincu, fort heureusement au demeurant, par plus turc que lui : le sultan de Constantinople Selim est inquiet de voir la progression gigantesque de ce califat rival, chiite, et non moins turc, qui avance dangereusement vers l'ouest et risque, par son messianisme, de faire basculer les vieilles bases du pouvoir ottoman en Anatolie dans la nouvelle foi. Il lui assène alors un formidable coup de massue à Tchaldiran en Azerbaïdjan en août 1514, un an avant Marignan, et par les mêmes méthodes, l'usage massif d'une artillerie, en partie européenne. Cette défaite mémorable rééquilibre fortement le nouveau régime iranien vers davantage de modération et de rationalisme, même si elle a le défaut de renforcer le sunnisme conservateur dans l'empire ottoman, les oulémas d'Al Azhar au Caire et ceux d'Istanbul poussant dès lors le sultan à se proclamer calife trois ans plus tard, après la conquête de Damas et de l'Egypte sur les mamelouks, ce qui réduit le chiisme alévi autrefois largement toléré, à la dissidence officielle dans l'empire [1].

Mais en Iran, les Safavides, de modeste ascendance kurde et turque à l'origine, s'inventent une généalogie qui les rattache au septième imam, Moussa Kazem, et leur permet de concentrer entre leurs mains un pouvoir royal (avec le titre de *chah in chah*, ou roi des rois) et un pouvoir religieux. Ils acceptent en réalité une bipartition entre un juge suprême de l'*Ijtihad*, le *sadr* qui régit les tribunaux et les fondations pieuses, et un Premier ministre civil, le *wakil* (ou vizir) qui administre le pays. Cette bipartition, un temps remise en cause par le mouvement moderne, s'est rétablie à sa manière depuis la révolution islamique, sous une forme, il est vrai, caricaturale. Mais l'essentiel est là : Qôm, pouvoir du livre et dépositaire de la culture proprement persane, équilibre effectivement Tabriz puis Téhéran, sièges successifs du pouvoir royal militaire

---

1. Mais bientôt le chiisme aura sa revanche à Istanbul sous la forme des initiations secrètes des janissaires à la dévotion alide.

d'essence turque. Comme au Moyen Age européen, ce long conflit des investitures, entre un
véritable clergé qui calque sa hiérarchie [1] sur
celle des chrétiens assyriens et un Etat militaire
turc toujours complexé dans son fruste bon sens
et sa foi de charbonnier, par l'immense subtilité
iranienne, a peu à peu ouvert un espace de liberté,
d'abord esthétique – la peinture – puis éthique –
la liberté du commentaire – pour finir par la
politique – la pluralité acceptée et non réductible
des écoles de théologie rivales, bientôt des partis
modernes.

Cette évolution, qui mit deux bons siècles à
s'accomplir, finira, tout comme en Occident la
victoire du parti guelfe, sur celui du Pape, opposé
de l'Empereur, le parti gibelin, par légitimer le
rôle des doctes – les *mojtahed*, ou maîtres de
l'*Ijtihad* – comme véritable substitut collectif de
l'imam à venir, et à dessaisir de son autorité le
pouvoir royal, de moins en moins capable d'en
imposer, en raison de sa lente érosion politique et
militaire. C'est là l'origine idéologique de la
Velayat-e-Faqih du pouvoir théologique des

---

1. Les imams djomehs sont des abbés, les hodjatoleslams des
évêques, les ayatollahs des archevêques, les grands ayatollahs des
cardinaux et les marjâya tabligh des sortes de patriarches (il y en eut
un temps jusqu'à quatre), et le khomeynisme tend à faire de ces
marjâya une papauté chiite unitaire.

« Guides ». Mais la défaite du clergé fidéiste *akhbari*, qui avait tendance à contester sans cesse le pouvoir jugé tyrannique du chah, se consomme à la fin du XVIIe siècle, au profit de l'école dite « Usuli ». Cette dernière sera tout à la fois rationaliste (elle prône la méthode du Kalam ou déduction logique scolastique en provenance directe des moutazilites) et autoritaire (elle pourchasse toutes les traces de soufisme et de religiosité populaire derviche, encouragée au contraire à la même époque par les sultans ottomans comme contrepoids à leur clergé sunnite).

Par cette ultime victoire de l'orthodoxie chiite, les courants intellectuels les plus féconds sont hélas décapités : celui de Mollah Sadra Chirazi de l'école d'Ispahan en particulier, véritable jansénisme duodécimain qui eut son Pascal en la personne de son fondateur et aurait pu aussi engendrer un Racine ; il aboutit à défaut à la grande peinture figurative de Reza Abbasi, le Philippe de Champaigne de son temps (ou peut-être le Chardin par sa rigueur adoucie et souriante) qui émancipe enfin le portrait de la calligraphie traditionnelle.

Mais au total, la rigueur desséchée des *mojtahed* usulis qui s'emparent de la religion à la manière des grands talmudistes dans le judaïsme lituanien de la même époque a eu le mérite historique d'intellectualiser le pouvoir religieux et de le soustraire aux entreprises d'un pouvoir royal de plus en plus décadent. Telle l'arche de Noé, à la veille du grand Déluge, les meilleurs codificateurs, le Libanais Karaki et son disciple persan Majlessi, à l'époque où Louis XIV révoque l'édit de Nantes, avaient ainsi durci en prévision des grands chocs de la modernité le message libérateur de la tradition chiite, même au prix de subvertir la charge émotionnelle et mystique de ce trésor spirituel. Qu'importe, après leur passage, le pouvoir politique ne pourra plus jamais reconstituer l'unité théologique de l'Iran, quitte, comme Nadir Shah au XVIIIe siècle, à entamer un mouvement éphémère de retour au sunnisme, pour s'émanciper du regard scrutateur des docteurs de la Loi. Mais au sein du pouvoir théologique de Qôm et de Machad, l'assemblée des *mojtahed* répugnera sans cesse davantage à ce qu'un seul représentant de l'imam caché, religieux ou civil, ne confisque à son profit la vicariance du pouvoir des Alides.

Et c'est ainsi que des écoles rivales, des tendances diverses, et des jurisprudences opposées se sont fait jour dans le chiisme le plus orthodoxe, interdisant jusqu'à aujourd'hui l'unicité du pouvoir des gardiens. « *Quis custodiet custodes* », qui gardera les gardiens ? s'exclamait rhétoriquement Cicéron à propos de la *République* de Platon qu'il critiquait d'un point de vue pragmatique. La lente élaboration du chiisme iranien répond à cette angoissante supplique du sage de Tusculum : les *mojtahed* équilibrent le pouvoir du chah, la jurisprudence et la liberté de l'*Ijtihad* (la porte ouverte) équilibre dans le temps, à son tour, le pouvoir des mollahs. Ce calcul matriciel s'est pleinement déployé après la victoire de Khomeyni en 1978, jusqu'à la victoire de Khatami en 1997 et le déclenchement de la contestation libérale et esthétique, non plus laïque mais chiite libérale, celle-là même qui nous donne la philosophie de Sorouch et le cinéma de Kiarostami, ce dernier prolongement de la grande miniature des XVIIe et XVIIIe siècles. Mais dans cette séparation des pouvoirs, plus proche de l'iranophilie de Montesquieu somme toute que de l'iconoclastie de Rousseau, c'est déjà la grande révolution constitutionnelle de 1906 qui n'est pas très loin.

A partir du début du XXe siècle en effet, les ferments libéraux et révolutionnaires venus de l'ouest modifient, mais n'abolissent pas, la problématique de la « démocratisation incipiente » du chiisme iranien. Il se passe ici le même phénomène constaté pour la transmission du marxisme d'Allemagne en Russie : l'empire des tsars est beaucoup moins avancé sur le plan économique que celui du Kaiser, mais les contradictions y étant plus explosives, la révolution russe de 1905 qui annonce le XXe siècle volcanique y précédera toutes les crises ultérieures, à Berlin ou à Vienne. On constate le même renversement paradoxal entre un Iran demeuré très féodal et une Turquie déjà bien modernisée, en ce début du XXe siècle. En Iran, le contraste entre l'Azerbaïdjan turc de Tabriz prolongé jusqu'à Téhéran, plus développé déjà et branché sur la dynamo révolutionnaire de Bakou, de l'autre côté de la frontière russe, et le Sud agricole et féodal, provoque la première grande explosion de libéralisme politique dans l'Islam, avant la prise de pouvoir du mouvement Jeune-Turc, qui la suit de deux ans. Mais dès cette pacifique révolution constitutionnelle de 1906, qui instaure une monarchie contrôlée, sur le modèle belge de 1831, trois pouvoirs (et non deux) s'affirment : celui du Parlement et de la laïcité libérale ; celui de ce qui demeure d'Etat militaire impérial, repris en main avec une fermeté croissante par Reza Chah Pahlevi après la Première Guerre mondiale ; celui des oulémas chiites de Qôm enfin après 1922, qui sont loin d'avoir disparu et se divisent tout de suite en approbateurs, contempteurs et sceptiques de la révolution.

On ne sort plus depuis lors de cette triangulation, même dans l'apparence du triomphe de l'un des trois acteurs : Reza Khan, admirateur initialement sincère d'Atatürk, allie tout un temps le courant libéral laïque et le pouvoir militaire qu'il incarne. Mais aspirant à fonder à son tour sa dynastie, il fait volte-face en 1925 et conclut avec le grand ayatollah Haëri, le véritable rénovateur de Qôm, une sorte de pacte constantinien qui renoue avec l'époque safavide (Haëri fera même cadeau au nouveau roi d'un sabre ayant appartenu à l'imam Hussein à la bataille de Karbala, afin de sceller leur nouvelle et provisoire alliance). Le grand perdant est alors le réformateur démocratique Mohammed Mossadegh, partisan d'une république laïque de type turc (il cherchera même en 1951 à introduire le vote des femmes, à l'indignation des ayatollahs), exilé pour l'instant par Reza Khan dans une lointaine province de l'est.

Reza Khan et Haëri ont malheureusement un second point commun : leur admiration pour l'Allemagne hitlérienne et le fascisme mussolinien, censés tout à la fois protéger l'Iran des prédateurs anglais et des agitateurs soviétiques. Mal leur en prend : après la chute de Reza en 1941, organisée de main de maître par Staline et Churchill qui y scellent leur nouvelle alliance, Mossadegh et ses amis, devenus socialisants, occupent pour dix ans le devant de la scène, alliés et rivaux d'un puissant parti communiste, le Toudeh (« parti des masses » en persan), qui prétend se substituer à eux, mais présente l'inconvénient immédiat de soutenir les revendications séparatistes des Azéris de Tabriz et des Kurdes de l'éphémère république de Mahabad, proclamée avec l'aide des Soviétiques par le mollah Barzani, fraîchement adoubé pour la circonstance d'une médaille de Héros de l'Union soviétique. Moscou impose ici sa stratégie foncièrement anti-iranienne. Mossadegh s'allie donc d'abord mais avec réticence au fils du chah, Mohammed Reza, qui aspire à moderniser le pays et à tenir en respect le puissant voisin soviétique : Staline renonce ainsi sous la pression des Etats-Unis et devant la fermeté nationaliste unanime des Iraniens à annexer Azerbaïdjan méridional et Kurdistan dès 1946.

Après la nationalisation du pétrole de 1951, la popularité de Mossadegh est à son comble. Celui-ci, démocrate dans l'âme, se donne pour modèle l'Inde de Nehru et la constitution de 1906. Mais il ne sera pas de force, face au lâchage de la gauche communiste qui le sabote sous les ordres de Staline, aux pressions de l'Angleterre de Churchill, mais aussi face à la reconstitution de l'alliance conservatrice du roi et de Qôm, le duo Reza Khan/Haëri étant remplacé ici par l'alliance incommode de Mohammed Reza, son fils, et de l'ayatollah Kachani.

Pendant ses dix premières années de règne personnel (1953-1962), le chah fait de nombreuses concessions à Qôm (destruction notamment des lieux de culte de l'hérésie bahaïe) [1] et tient les gauches mossadeghiste et communiste sous le boisseau. Mais après 1963, ayant consolidé de bons rapports avec l'Union soviétique et réprimé efficacement les organisations les plus militantes de la gauche, le chah pense pouvoir ranimer, sur le plan sociétal, la vieille alliance modernisatrice de son père et de Mossadegh, et infliger aux mollahs un recul stratégique capital avec une

---

1. Les bahaïs, très puissants à Téhéran, sont une secte moderniste née à la fin du XIXe siècle, en se détachant du tronc d'une école dissidente, celle de l'imam Bahaullah. Ils deviennent une religion à ambitions universelles, séparée désormais de l'Islam, qui reçoit d'emblée l'adhésion de nombreux juifs assimilés de Téhéran et d'Ispahan. Le sultan ottoman accueille les chefs persécutés de la secte à Haïfa, alors dans son empire. Il n'en faudra pas davantage pour les accuser de sionisme, au XXe siècle.

réforme agraire – la révolution blanche – qui s'opère à leur entier détriment, en leur retirant largement leurs vastes propriétés foncières. Malgré le caractère brillant de cette stratégie où l'on reconnaît la main délicate et courageuse de sa seconde épouse, Farah Diba, ancienne militante de gauche issue de l'aristocratie turque de Tabriz, l'engrenage ainsi créé va se refermer sur le roi réformateur. Car la gauche, trop humiliée depuis 1953, se refuse pour l'essentiel à cautionner le pouvoir impérial, malgré quelques invites en ce sens venues de Moscou (via la sœur du chah, la princesse Ashraf, admirée de Staline puis de Khrouchtchëv), pour se lancer, tout à l'opposé, dans une œuvre d'investissement des forces religieuses, aux encouragements explicites du vieux laïque qu'est Mossadegh. Car le vieux lutteur autrefois républicain à la française depuis sa résidence surveillée encouragera, jusqu'à sa mort, son fidèle disciple Mehdi Bazargan à combattre pour l'indépendance du clergé et rallier les mollahs à une forme de socialisme, de plus en plus tiers-mondiste, de moins en moins démocratique. L'influence déterminante du renouveau arabe, alors à son apogée, fera le reste : alors que la gauche rêve au nassérisme et s'enthousiasme pour Frantz Fanon et la révolution algérienne, voici que les mollahs à leur tour se tournent vers les Frères musulmans égyptiens, rivaux de Nasser. Les écrits de salafistes sunnites comme l'Egyptien Sayed Qôtb ou le Pakistanais Maududdi revêtent davantage d'importance politique dans la formation des militants religieux que la tradition chiite classique : c'est ainsi qu'en 1961, à la mort de l'ayatollah Borujerdi, partenaire encombrant mais loyal du chah, l'assemblée du clergé, bientôt dissoute par le pouvoir royal pour son arrogante audace, réclame les pleins pouvoirs pour établir le consensus définitif des *mojtahed* (une conception contraire à l'indépendance des doctes dans le chiisme classique), pour constituer une autorité juridique unifiée et indiscutée, sur le modèle explicite de la très sunnite faculté de théologie Al Azhar du Caire. Dans l'exil irakien, de jeunes mollahs proches de Khomeyni, enfermé à Nadjaf, comme Bahonar (qui trouvera la mort avec son chef Behechti dans l'explosion du siège du Parti de la république islamique en 1979) établissent une véritable alliance avec des chefs de la confrérie sunnite des Frères musulmans. Malgré l'incompatibilité, à moyenne échéance des deux démarches [1], réaffirmation de l'identité

---

1. Les Frères musulmans, depuis leur fondation, condamnent

chiite de l'Iran, flirt poussé avec l'intégrisme sunnite arabe, celles-ci vont pourtant se poursuivre en parallélisme étroit, de même que s'opère l'absorption du tiers-mondisme révolutionnaire par la doctrine eschatologique du Mahdi, théorisée par Ali Shariati, le père spirituel de toute la gauche islamiste, décédé au début des années 1970, mais véritable inspirateur théorique de la révolution de 1978.

Cette conjonction, inédite, de l'opposition laïque et communiste et du pouvoir de Qôm, aura entraîné l'Iran moderne dans bien des mécomptes. Mais elle aura eu aussi ses vertus. Bientôt persécutée en tant que telle par Khomeyni et les siens, la gauche aura été plus chiite encore que les mollahs : par la vertu de la dissimulation autorisée (la *taqia*), elle aura, au prix de bien des reniements d'apparence, pénétré en profondeur le mouvement religieux et contaminé sa pensée de manière définitive, ainsi que le souhaitait Mossadegh peu avant sa mort.

Certes, Khomeyni est parvenu par la logique de la guerre qu'on lui impose très vite avec l'Irak (1980-1988) mais qu'il prolonge délibérément et

---

sans appel le chiisme comme hérésie et voient dans le ralliement de certains chiites à leur doctrine essentielle un premier pas vers le retour dans le giron sunnite.

cyniquement après les premières victoires iraniennes, à juguler les oppositions ouvertes, comme
celle des chiites marxistes moudjahiddine, dont le
courage et l'aveuglement étroitement associés les
conduiront au martyre en grand nombre, mais
aussi aux alliances contre nature, avec Saddam
Hussein hier, les néo-conservateurs de Washington aujourd'hui. Mais au cœur du pouvoir religieux, les tenants de la « ligne de l'imam », dont
son propre fils Ahmad et le futur président Khatami, penchent quant à eux dangereusement vers
les idées du parti communiste Toudeh, et après la
chute de l'Union soviétique, vers une sorte de
gauche tiers-mondiste, un peu impuissante mais
de très bonne volonté, qui proclame la sainteté de
Chomsky, Derrida et Gorbatchev.

De son côté, le machiavélien Rafsandjani,
prince de l'ambiguïté, du double entendre et du
terrorisme feutré, s'imposera initialement comme
successeur de Khomeyni à la tête de l'Etat, contre
le tenant du pouvoir religieux authentique qu'est
l'ayatollah Montazeri, partisan traditionnel d'une
alliance définitive avec le sunnisme arabe, soutenu pas toujours discrètement par les Moudjahiddine. Rafsandjani au contraire restaure
tacitement l'ambition étatique purement iranienne,
autrefois incarnée par les dynasties successives

des safavides, des Qâjar et des Pahlevi et étayée à présent par ses acolytes civils et militaires. Et la liberté de l'*Ijtihad* permet aujourd'hui à des mollahs, qui n'ont pas à craindre les retours de bâton que l'on réserve aux simples laïcs, de développer des conceptions radicalement antagonistes de l'avenir de l'Iran, dont certaines vont jusqu'à la démocratie parlementaire et la séparation de l'Etat et de la religion.

Paradoxalement, la longue et indécise *perestroïka* née des élections semi-libres de 1997, confirmée encore en appel en 2001 par la mobilisation de la population des grandes villes largement acquise alors à l'établissement d'une forme de démocratie, nous prépare non pas au renversement du régime, mais à sa dissolution à huis clos, et sans doute par étapes indécises. Ayant décidé que le contexte international actuel était beaucoup trop dangereux pour permettre le débat politique ouvert qu'avait poussé jusqu'alors (sans grands résultats économiques, il est vrai) le président progressiste Khatami, le cœur de la mollacratie reprenait les rênes fin 2003, espérant que le doublement de la rente pétrolière lui assurerait la paix sociale. Khatami, connaissant la déception de ses partisans les plus actifs devant son inertie, toute relative au demeurant face aux conservateurs, acceptait de son côté de ne pas vraiment se battre aux législatives de 2004, sachant bien qu'il ne s'agissait que d'un tour de chauffe qui ne pouvait qu'exacerber les contradictions au cœur du pouvoir conservateur, dès lors qu'il manquerait à ce dernier un adversaire réformateur comme bouc émissaire pour demeurer uni. Le calcul des progressistes était loin d'être faux. Car à imposer (provisoirement) le silence dans les rangs, la mollacratie n'avait pas résolu pour autant ses tourments : Rafsandjani acceptait de prendre à nouveau la tête de l'Etat, mais pour le conduire, par une alliance tacite avec la gauche islamique des frères Khatami, et même au-delà, qui rappelle Reza Khan à ses débuts, vers une laïcisation progressive, couplée dans son esprit avec un rétablissement géopolitique spectaculaire du pays, lequel rétablissement, lui-même, suppose un degré de consentement des Etats-Unis.

Ceux qui s'opposent à lui ont éloigné le plus sincère d'entre eux, Montazeri toujours assigné à résidence malgré son grand âge, et ne disposent comme recours que les pasdarans, ces miliciens nuls et menaçants dont le nom, du persan « gardien », hellénisé en Turquie nous a donné le français « pandore ». Ces derniers, soldés par la rente pétrolière, occupent en oisifs, en quelque sorte des intermittents du spectacle en armes, tous les bâtiments publics, et intimident les braves gens. Mais pas pour toujours. Certes, les mollahs éditent en version intégrale *Le Monde diplomatique* en persan, auquel ils ne trouvent visiblement rien à redire. Mais à Téhéran, le grand tennisman irano-américain Agassi fait davantage recette, jusque sur les pages du quotidien officiel *Ettelaat*, que le couple fatal *Monde diplomatique*-Tarik Ramadan, dont les amis, du reste, en Irak, ne brûlent pas d'ardeur pour le chiisme restauré dans ses lieux saints, Nadjaf et Karbala.

De ce fait, la vie politique iranienne est aujourd'hui l'une des plus riches et des plus complexes du monde, combinant pluralité des écoles politico-théologiques des *mojtahed*, et survivances encore puissantes de l'ancien parlementarisme mossadeghiste, qui se combinent et s'entrechoquent avec les *haouzah* (les écoles) traditionnelles.

On sait qu'à la mort de l'ayatollah Betechti dans l'attentat de 1979, Khomeyni décide la dissolution du « Parti de la République islamique », embryon de parti unique islamiste, dont le défunt, rival tacite et conservateur du « Guide » voulait faire son instrument de pouvoir. On revient ainsi à un certain pluralisme d'écoles au sein du bloc révolutionnaire qui seront bien vite investies par les idéologies modernisatrices préexistantes.

On distingue ainsi, au cœur du système isla-miste chiite, quatre grandes tendances, lesquelles sont associées, hors du cercle des bons chiites, à des forces partiellement laïcisées.

1. A l'extrême droite, un courant, proche à l'origine des Frères musulmans égyptiens, cher-che toujours l'entente avec les sunnites arabes, comprend aussi l'idéalisme révolutionnaire d'Al Qaïda et s'opposera fondamentalement à tout rapprochement, même tactique, avec les Etats-Unis. Il est lui-même éclaté entre libéraux-fascistes héritiers du défunt Behechti (le groupe Hodjatieh réputé pour ses meurtres et son anti-sémitisme actif) et les sociaux-fascistes, un temps regroupés autour de Montazeri, et à présent séparés en chapelles rivales, dont la principale, le Hezbollah, se réclame du combat des « frères libanais » et a soutenu vigoureusement l'anti-américanisme et le nationalisme arabe de Mokta-da Sadr à Bagdad. Le ministre de la Défense Chamkhani, un pandore qui fut naguère le geôlier des otages français au Liban, dans les années 1970, reste assez proche de ce groupe, très con-servateur sur le plan religieux et plutôt socialiste

traditionnel sur le plan économique. Mais son homonyme, le Hezbollah libanais, prend de plus en plus ses distances de cet encombrant émule pour se rapprocher du centre de la vie politique à Beyrouth, avec deux ministres entrés dans le gouvernement de Saad Nariri. Ahmadi-Nedjad est parvenu, mais non sans usage massif de la fraude, à unifier toute cette extrême droite contre la perspective d'un tournant bonapartiste pro-occidental de Rafsandjani. Il faut savoir en effet que l'aile gauche des amis de l'ancien président de la République, qui contrôlait la mairie de Téhéran, avait mis son pouvoir municipal au service de son alliance avec Khatami et le courant progressiste, tandis que Rafsandjani venait, au contraire, étayer à sa manière le pouvoir chancelant du Guide Khamenei, dans une division du travail entièrement pensée. Tout en comptant sur le soutien de Rafsandjani dans la plus haute structure du pouvoir, Khamenei favorise par souci d'équilibre l'assaut contre la mairie de Téhéran, en y poussant un petit chef des Pasdarans, Ahmadi-Nedjad, qui ne lui plaisait pas totalement certes, mais avait le mérite, comme on le constatera plus tard, d'être un opposant total (et totalitaire) au pragmatisme rafsandjanien. Ainsi vont les subtilités d'une politique iranienne, produit d'un bon millénaire de *taqia*, de dissimulation métaphysique. Toutefois, le candidat *in pectore* de Khamenei était au départ l'ancien chef de la police qalibaf, qui tout en se réclamant d'un certain conservatisme, acceptait, lui, une politique d'ouverture prudente, celle-là même qui avait la véritable faveur du Guide. Il paraît douteux que la victoire à l'arraché d'Ahmadi-Nedjad contre un Rafsandjani en perte de vitesse, mais aussi un Qalibaf ulcéré de la fraude massive commise par les Pasdarans, permette à l'extrême droite même réunifiée de régner sans partage.

La vérité, c'est que le coup de force de l'état-major des Pasdarans vient de créer les bases d'une sorte de coalition anti-fasciste, qui s'étend des milieux éclairés de la Gestapo locale (Qalibaf) jusqu'aux intellectuels laïcisants proches de Khatami (Sorouch, Gandji, Hadjarian).

2. A gauche, les anciens partisans du fils du Guide, Ahmad Khomeyni (décédé assez mystérieusement dans les années 1990), avaient formé pendant la révolution un mouvement appelé « la ligne de l'Imam », favorable tout à la fois à un socialisme de type soviétique, à une politique étrangère anti-impérialiste, symbolisée par la prise d'otages de l'ambassade américaine de Téhéran qu'ils organisèrent pour l'essentiel, et à

un certain dialogue avec la gauche laïque désireuse de s'intégrer au nouveau régime, c'est-à-dire le parti communiste de Noureddine Kianouri et les Fedayin dits minoritaires, proches de l'extrême gauche européenne, notamment trotskyste. La fascination pour la *perestroïka* de Gorbatchev, puis la désolation pour l'effondrement du projet soviétique, entraînent par la suite une mutation spectaculaire du groupe vers une forme de démocratisme religieux, qui trouve à la mort d'Ahmad Khomeyni, son incarnation dans le ministre démissionnaire de la Culture Mohammed Khatami: le courant progressiste est né, et demeure à ce jour une force importante de la vie politique, même si la déception occasionnée par son occupation du pouvoir, l'a récemment affaibli au profit d'une opposition plus laïque et plus radicale.

Le troisième courant, numériquement le plus important, est celui des curés de province, dont le chef est le Guide actuel, le successeur de Khomeyni, Ali Khamenei. Plus iranien et patriote que les deux précédents courants, cette tendance conservatrice pure est soucieuse de préserver une révolution qui lui fut chère, et lui semble encore viable pour l'essentiel. Réservés sur le terrorisme, plutôt hostiles à l'intégrisme sunnite, les partisans du Guide souhaitent maintenir au bercail les progressistes de Khatami et les extrémistes du Hezbollah dans une « maison unique », *Ahl Al Beït*, pourvu que l'Etat islamique, symbolisé par le pouvoir du Guide, la Velayat-e-Faqih soit maintenue. La principale organisation du mouvement est l'Association du clergé combattant, qui dispose à présent d'une majorité absolue au Parlement, après des élections législatives au printemps 2004, largement boycottées par la population. Mais derrière cette unité de façade, des craquements commencent déjà à lézarder ce centre, apparemment si puissant, et adossé sur l'argent des fondations les Bonyads et la puissance de feu des Pasdarans. L'argent penche vers une réconciliation plus franche avec l'Occident, le fusil au contraire se durcit autour du succès de l'effort nucléaire et de la lutte maintenue contre le sionisme.

Mais pour que le fusil puisse servir durablement, encore ne faut-il pas qu'il s'avère une pétoire. Les capacités subversives de l'Iran sont en diminution, ne serait-ce qu'en raison de l'éclatement de l'ancienne Unité islamique chiite en factions rivales. Les capacités conventionnelles de l'armée ont diminué et résisteraient à peine quelques heures à une comparaison ouverte avec la puissance militaire des Etats-Unis et d'Israël. L'accumulation des provocations armées justifierait enfin une opération massive des mêmes forces contre le programme nucléaire, avec cette fois-ci des complicités de grande ampleur au sein de la mollacratie, désireuse de se débarrasser à bon compte d'Ahmadi-Nedjad et de ses tortionnaires sympathisants d'Al Qaïda.

L'argent, lui, est plus stable dans la politique iranienne, et aussi plus mobile dans la conduite d'une stratégie mondiale : la fuite des capitaux et des cerveaux, encouragée tacitement par les amis de Rafsandjani, auront vite raison des pouvoirs d'Ahmadi-Nedjad dont l'ascension au sommet évoque tout à la fois Lin Biao avant sa chute, et la Bande des Quatre, peu de temps avant la mort de Mao.

Quant au quatrième courant, le plus indéfinissable en apparence, c'est celui de l'ancien président Rafsandjani : typiquement bonapartiste dans son ambition, il a su se maintenir à flot en jouant les fléaux de la balance, entre Khamenei et Khatami. Le mouvement dit des Reconstructeurs, dont les leaders sont l'ancien maire de Téhéran Karbachi et sa propre fille, a été l'allié plus modéré et indispensable des progressistes. Rafsandjani, de son côté, a toujours maintenu son allégeance au Guide, et monté quelques embuscades réussies contre Khatami. En réunissant ses partisans de droite et de gauche, l'ancien président veut aujourd'hui restaurer la grandeur nationale de l'Iran, le réconcilier avec le monde, pour conjurer quand il est encore temps l'orage anti-islamiste qui se prépare dans la jeunesse moderne des grandes villes.

Même vaincu, tant par la fraude et la mobilisation de l'extrême droite que par l'abstention méprisante de la gauche laïcisante, Rafsandjani demeure plus que jamais le porteur d'une telle politique de convergence autoritaire, bonapartiste, de tous les centres.

Rapidement, les excès prévisibles d'Ahmadi-Nedjad qui ne dispose pas plus, au départ, de la réalité du pouvoir que son prédécesseur de gauche Khatami, peut permettre à Rafsandjani et ses alliés tels que le chef du Conseil de sécurité, l'ayatollah Rouhani, de disposer enfin de l'appui de toute l'intelligentsia ainsi que de la jeunesse urbaine, jusqu'à présent réservé et attentiste.

De l'autre côté, l'humiliation réservée par l'état-major des Pasdarans, principal soutien d'Ahmadi-Nedjad, aux « policiers éclairés » de Qalibaf, qui disposait du véritable soutien de Khamenei, rapproche ces derniers, eux aussi, de

Rafsandjani, qui demeure pour l'instant à la tête du Conseil de discernement, principale plate-forme d'embuscade contre le suffrage universel depuis cinq ans (mais il s'agit en outre ici d'un suffrage prétendument universel, souillé par la fraude massive et la manipulation des campagnes les plus lointaines).

Au fond, l'humiliation subie par Rafsandjani, que tant d'Iraniens souhaitaient lui infliger un jour ou l'autre, permet peut-être à l'ancien président d'étendre le front de ses alliances, pour peu qu'il sache transformer son aventure individuelle en stratégie manœuvrée collective.

Aussi faut-il faire place pour apprécier toute la situation à deux autres courants assez puissants et qui subsistent hors du cercle magique de la Velayat-e-Faqih, ceux que les Mollahs qualifient entre eux d' « excentriques » (*Biganeh*), la gauche révolutionnaire et la droite laïque. Chacun d'entre eux a ses vertus et son dynamisme potentiel, mais chacun exprime un blocage, dû à la domination chez les uns et chez les autres de ces groupes, l'un et l'autre de groupes de conceptions très éloignées de la majorité de la population, hostile avant tout à une nouvelle révolution et favorable très largement au programme nucléaire, par patriotisme iranien. A gauche en effet, les islamo-marxistes Moudjahiddine ont fourni la force de frappe militaire et l'esprit de sacrifice qui convenaient au combat contre un régime encore inflexible, mais ils sont allés trop loin dans leur « défaitisme révolutionnaire » inspiré de Lénine, qui les voyait hier alliés de Saddam, et aujourd'hui de Don Rumsfeld. Peu à peu, l'ancien président Bani Sadr, les Kurdes, et le petit-fils de Mossadegh, Maatine Daftari ont pris leurs distances.

Il n'en demeure pas moins, à Téhéran et en province, un noyau militant d'extrême gauche ou de gauche laïque, qui déteste activement la mollacratie et juge sévèrement la tentative de récupération progressiste de Khatami, bien que le courage de certains de ses leaders, Nouri ou Hadjarian, qui ont connu la prison ou l'attentat, impressionne tout de même un certain nombre d'entre eux. Une libéralisation de la vie politique verrait tout naturellement ce mouvement réapparaître, pour peu qu'il puisse prendre des distances convenables par rapport aux Moudjahiddine, transformés en véritable secte, trop hostile au patriotisme foncier de l'opposition intérieure, mais qui recueille néanmoins la reconnaissance populaire lorsque par exemple un groupe de ces Moudjahiddine parvient à liquider en plein bazar de Téhéran le bourreau de la prison d'Evin des années 1980, Lajevardi.

Parallèlement, les libéraux occidentalistes, dans le giron desquels sont revenus les anciens mossadeghistes religieux, membres du Mouvement de libération de l'Iran, du défunt Mehdi Bazargan, ont gagné pas mal de terrain chez les étudiants de Téhéran notamment, de plus en plus pro-américains, mais ils souffrent paradoxalement du charisme et de l'intelligence politique du fils du chah, qui proclame son désir d'une monarchie parlementaire pratiquement impossible à mettre en oeuvre chez un peuple, aujourd'hui adolescent à 60 %, qui n'a gardé aucun souvenir, bon ou mauvais, du régime impérial. Si la gauche classique souffre de la capacité d'absorption du courant islamo-progressiste de Khatami, la droite libérale souffre, elle, de la séduction du bonapartisme de Rafsandjani.

Seuls les échecs, à ce jour non consommés, de l'un et de l'autre, ouvriraient la voie à ces deux courants externes à la « famille d'Ali », mais aussi alors peut-être à une forme de guerre civile bien incertaine, dont le pays sortirait définitivement affaibli.

Là gît tout le paradoxe d'un régime totalement impopulaire dans son immobilisme sociétal, mais jugé encore tolérable par beaucoup, en raison même du discrédit total où sont tombées depuis les doctrines révolutionnaires de toute nature.

Certes il reste à l'islamisme radical le soutien apeuré des campagnes les plus pauvres, des chômeurs subventionnés par la rente pétrolière et des classes moyennes traditionnelles du bazar, qui mettent, comme à Cuba, une partie de la population, leurs difficultés économiques croissantes sur le compte du blocus américain et non de la poursuite d'un modèle soviétique aggravé par le fractionnement féodal des organes planificateurs.

Toutefois, comme en Chine à la mort de Mao, où les tenants du tyran défunt conservaient de nombreux partisans passifs dans le pays (il n'y eut fort heureusement en 1976 pas de recours au pseudo-suffrage universel en Chine), la dynamique ne va pas dans la réaffirmation d'un islamisme sans faille. Un front commun se constitue peu à peu autour d'un programme simple : restauration de la puissance de l'Etat iranien par une alliance étroite avec le chiisme démocratique de l'Irak, de Bahreïn et à présent du Liban. Ouverture des mécanismes de marché et libération progressive des mœurs et de la liberté d'opinion. Trêve avec l'Occident reposant sur un bon compromis nucléaire. Une opposition frontale d'Ahmadi-Nedjad à ce programme scellerait à terme sa faillite, dans les mêmes conditions où le centre dynamique de la Chine se débarrassera d'un bon coup de la Bande des Quatre en 1976, malgré ses bases populaires incontestables.

Alors ? La ruse de la raison, nous apprend Hegel, est la substance même de l'histoire : les mollahs ont à leur tour confisqué tous les pouvoirs, comme le chah naguère. Mais, en vingt-cinq ans de dictature, pourtant faiblement éclairée, ils ont à leur manière restauré la liberté chiite. Mais celle-ci les combat du cœur de la société qu'ils ont forgée dans la violence comme jamais les francs-maçons mossadeghistes, les bahaïs judaïsants et les communistes inféodés à Moscou n'avaient su le faire, ave le chah qui partageait jusqu'à un certain point leur laïcisme [1]. La révolution démocratique est déjà faite chez les jeunes, les femmes si sportives et si révoltées, les cinéastes à la Kiarostami et les philosophes publicistes à la Sorouch. Le reste viendra par surcroît : une alliance étatiste modérément libérale d'un Rafsandjani ayant contourné les pasda-

---

1. Tout en dissimulant par pudeur personnelle un authentique mysticisme plus soufi que chiite orthodoxe.

rans et d'une gauche semi-laïque qui continue à se référer à Khatami, faute de mieux. Pour commencer. Mais l'Iran a toujours su nous surprendre. Il ira aussi beaucoup plus loin encore. Mais ceci, eût dit Kipling, est une autre histoire.

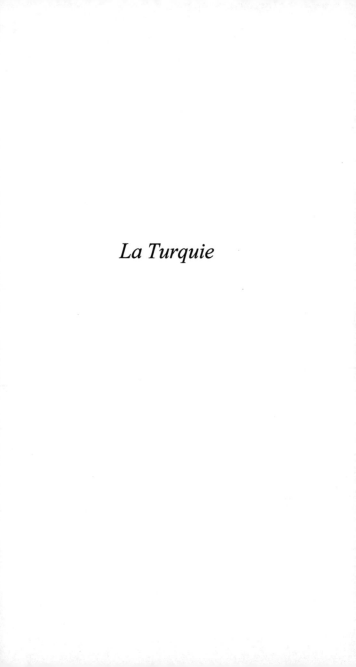

La Turquie

Ne Mutlu Turkum Diyane. Heureux l'homme qui peut se dire : je suis un Turc. Ce vibrant mot d'ordre figure depuis la révolution kémaliste sur le fronton de toutes les écoles du pays. Il fait bien sûr sourire par sa rhétorique datée des années 1920 du précédent siècle où les cuisants souvenirs de la Première Guerre mondiale avaient partout porté les sentiments nationaux blessés et inquiets vers une forme de paroxysme, qui s'efforçait d'ailleurs de combattre comme il le pouvait un non moins paroxystique internationalisme bolchevik.

Et pourtant, il y a du vrai dans ce chromo atatürkien (comme dans tout Atatürk au demeurant) : si l'appartenance à la nation turque ne préserve ni du malheur privé ni de la dette publique, si, comme l'aurait certainement affirmé un moderne Nafreddine Hodjah, si elle ne dispense pas de remède miracle contre les cors au pied et les névroses parentales, en revanche elle confère à ceux qui se disent turcs un formidable dynamisme et un optimisme certain. La raison en est strictement inverse de ce que pensent les nationalistes turcs les plus étroits – ces Loups gris que l'on appelle bizarrement là-bas « idéalistes » parce qu'ils se regroupaient pour leurs mauvais coups dans les « foyers de l'idéal ». Car c'est en réalité le caractère encore incomplet, inachevé, en marche, presque improvisé de l'ethno-genèse turque qui en fait tout le charme et l'intérêt. Si l'Iran était un espace, la Turquie est une irruption dans le temps. D'emblée, deux caractéristiques du peuple turc apparaissent : sa mobilité qui lui confère une vraie plasticité, et sa recherche incessante de la civilisation la plus avancée qu'il interroge sans préjugés, pour en adopter rapidement ce qui lui convient.

Les Turcs ont pour berceau l'Asie centrale, au nord du fleuve Amou-Daria, très vraisemblablement le Kazakhstan et la Kirghizie actuels, où l'on parle toujours une langue turque, un peu mâtinée de termes mongols. Les plus audacieux des Turcs originels se sont librement déployés vers le nord et les ressources durement conquises de la forêt sibérienne (Sibir, Baïkal, Touva, autant de mots turcs) où ils ont assimilé des populations mongoloïdes préexistantes, jusqu'à cette « ultima Thulé » touranienne qu'est la Yakoutie. Mais les plus prolifiques et les mieux inspirés se ruent sur la Chine où ils équilibrent dans le nord et l'ouest la pression d'autres peuples de la steppe (VIIIe siècle environ). Bientôt sinisés, ces Turcs de Chine mêlent leur sang à celui des paysans hans pour le peuple, des mandarins pour les élites, et ils formeront un peu plus tard le royaume bouddhiste et confucéen de Weï dont les soldats contiendront tout un temps la vague suivante d'envahisseurs de la steppe. Si les Weï deviennent vite bouddhistes, la tribu des Ouïghours qui s'installe au nord de la frontière tibétaine, dans le bassin du Tarim, le long de la route de la soie, transmettra plutôt le manichéisme et le christianisme nestorien, celui des Assyriens l'Irak et l'Iran à la Chine. Les Ouïghours ont rencontré sur place un vieux peuple indo-européen en pleine décadence, les Tokhariens, qui parlent une langue plus proche du latin et du grec que du persan ou du sanscrit et portant parfois le kilt aux motifs « écossais » : ils les sauvent de l'extinction en les assimilant entièrement. Ce qui confère à nos Ouïghours, aujourd'hui les plus orientaux des Turcs, un type physique très proche de nos paysans bourguignons, alors qu'ils sont à près de 80 % citoyens chinois, et que d'autres Turcs installés pourtant plus à l'ouest – Ouzbeks, Karakalpaks, et même Turkmènes – trahissent dans leurs traits asiatiques une parenté certaine avec les Mongols. Quant aux Kirghizes du Pamir, tout aussi turcophones, leur type physique les distingue très peu des Coréens ou des Toungouses de la Taïga. Lévi-Strauss nous a depuis fort longtemps mis en garde contre l'identification de la race et de la langue.

Mais ces errances qui tiennent chaud au cœur des Turcs actuels, confortablement installés sur les vieilles terres de Byzance, parce qu'elles leur rappellent un passé fabuleux qui éclaire encore de ses derniers rayons un avenir peut-être brillant, ne sont rien à côté de la grande affaire qui débute au second siècle de l'Hégire, l'islamisation. Ce sont certes des Arabes qui seront les premiers missionnaires de la nouvelle foi – certains habitants de Samarcande, à l'époque soviétique, se revendiquaient encore de cette nationalité – mais l'Islam pratiqué par les Turcs après 750 environ, a tracé sa voie propre grâce aux marchands de la route de la soie, et il s'impose d'abord et avant tout parce qu'il est la dernière mouture de cette civilisation persane de l'Est (Khorassan, Khwarezm) que les Turcs admirent sans mélange. La fascination de l'Iran et de Touran est réciproque et dure encore à ce jour : en plein Turkestan, les plus vieilles cités, Boukhara et Samarcande en Ouzbékistan, Astrabad en Turkménie à un moindre degré, conservent leur identité iranienne. L'entrelacement des deux peuples est un fait historique de la longue durée et se poursuit à ce jour : près d'un million et demi de Kurdes iranophones ont rejoint Istanbul, ces vingt dernières années, tandis qu'à Téhéran, une corporation comme celle des boulangers, voire la majorité des bazaris, demeurent des Turcs d'Azerbaïdjan.

Le président ouzbek, Islam Karim, est un faux Turc qui, originaire de Samarcande, a pour langue maternelle le persan. Le guide de la révolution iranienne, l'ayatollah Ali Khamenei, tout comme les plus hautes autorités du chiisme iranien d'autrefois (Chariat Madari) et irakien (Khoÿ) ont été turques dans un passé récent, et on révère à Konya, capitale religieuse de l'Anatolie, le souvenir du grand mystique soufi Djallal Al Din Roumi, qui donna aux futurs Ottomans leur véritable identité culturelle, bien que né au Khorassan iranien, il ait écrit toute son œuvre en persan. A Istanbul encore, à la fin du XVIIIᵉ siècle, tout janissaire instruit savait composer des poèmes d'amour en persan, et il faudra attendre la décadence safavide au début de notre siècle des

Lumières pour voir émerger dans l'armée iranienne une nouvelle génération d'officiers, non plus turkmènes, mais circassiens, géorgiens et arméniens, convertis récents à l'Islam.

Cette symbiose turco-iranienne s'est d'ailleurs prolongée jusqu'en Inde avec les Grands Moghols et en Irak où la langue arabe a pu assimiler dans les ultimes générations pas mal de Kurdes, de Turkmènes et d'Iraniens d'origine dans les grandes villes, sans pour autant faire disparaître ces identités souterraines, dans leur prégnance. La symbiose semble s'être interrompue aujourd'hui sous l'impact des Etats-nations, qui prônent de tous côtés des identités simples et unitaires, mais ce n'est là qu'une apparence : le chah et la chahbanou parlaient un turc parfait, Haïdar Aliev et son fils Ilham s'expriment encore mieux en persan qu'en russe, et le vieux Chariat Madari, se sentant battu et persécuté par Khomeyni, avait, en 1979, déclaré secrètement à l'ambassadeur de Turquie à Téhéran qu'il remettait tous ses espoirs et ceux des Azéris d'Iran dans l'influence d'Ankara. Il avait du reste raison : aujourd'hui, la porte de la liberté pour les Iraniens azéris, tout comme perses s'appelle la Turquie, tout simplement. Trois cent mille touristes iraniens – toute la classe moyenne de Téhéran

– fuient l'été sur la Méditerranée turque et à Istanbul pour se dénuder au soleil et s'adonner aux plaisirs simples du sexe et de l'alcool, tout comme les Egyptiens le font de plus en plus vers la Tunisie, et les Arabes de l'intérieur naguère vers le Liban.

Plus sérieusement, beaucoup de jeunes Iraniens (souvent azéris d'origine mais pas seulement) partent pour Istanbul pour y étudier et accéder par là à l'Occident. Même l'immense résidence de l'ambassade de Turquie à Téhéran accueille aujourd'hui des concerts privés de musique classique, puisque nos charmants mollahs, dont la « troublante modernité » éblouit les yeux de leurs thuriféraires parisiens, interdisent à ce jour la musique dite « européenne ».

Et tandis que *Le Monde diplomatique*, intégralement traduit en persan, peut être lu sans entraves à Téhéran, les tabloïds turcs – et tous les journaux turcs – sont interdits à la vente sur le territoire iranien, et même sur les avions de ligne turcs qui se rendent à Téhéran, pour ne pas créer d'incidents avec les pandores de la République islamique. Le régime des mollahs redoute certes les photos de femmes dénudées de ces journaux, mais plus encore toutes ces idées libérales et démocratiques qui s'y écrivent dans une langue, et par un alphabet latin, parfaitement intelligibles à beaucoup de Téhéranais.

Iran et Touran ont ainsi gravité en phase au sein du monde islamique, s'émancipant ensemble de la tutelle du conservatisme arabe à la fin du califat abbasside, gémissant ensemble sous le joug ensanglanté des Mongols, créant au même moment deux empires aux ambitions califales, virtuellement universelles, celui des Ottomans d'Istanbul et celui des Safavides de Tabriz, puis s'éteignant lentement au XVIIIe siècle pour accepter des doses, d'abord modérées, d'occidentalisme au XIXe siècle, et finir par la révolution libérale et la catastrophe géopolitique entre 1906 et 1923. Par la suite encore, on pourra tracer un portrait en parallèle de Mustapha Kemal et de Reza Khan, de leurs successeurs désignés, Mohammed Reza Pahlevi et Ismet Inönü, voire des démocrates foudroyés, Menderes en Turquie, Mossadegh en Iran, dans les années 1950, et pourquoi ne pas tenter un parallèle tout récent entre le binôme Erdögan et Gül à Ankara, Rafsandjani et Qalibaf à Téhéran, islamistes modernisateurs, chacun dans leur genre propre ? Même la révolution islamique iranienne de 1978-1979, aura peu ou prou correspondu en Turquie à un temps des troubles passablement agité, et nul doute que Türgüt Özal, dans les années 1980, a su apporter un apaisement à la Turquie par l'expansion rapide des procédures démocratiques que Rafsandjani a aussi recherché en Iran, de manière certes plus autoritaire, après la mort de Khomeyni, sans toutefois y réussir au même degré.

Mais il est ici beaucoup plus intéressant de considérer les différences spécifiques que de s'appesantir sur les ressemblances, parfois de plus en plus vagues. La Turquie et l'Iran sont unis comme ce que les Chinois dénomment « l'intérieur » et « l'extérieur », deux forces opposées d'une réalité une : tout en Iran grimpe vers les montagnes, et le centre nerveux se retrouve, par invaginations successives, éloigné de toutes les frontières, quelque part entre Ispahan, Qôm et Téhéran. La Turquie à l'opposé n'est qu'un balcon de fleurs, ouvert sur la Méditerranée. Ses capitales sont Istanbul, la New York de l'Orient, Smyrne jetée en face d'Athènes en scrutatrice de la mer Egée ; mais davantage encore le souvenir de Salonique, patrie de Kemal et capitale première de l'empire avec Andrinople, avant la prise de Constantinople, imprègne encore de sa fragrance judéo-ibérique toute la vie intellectuelle de la Turquie moderne.

Les encorbellements vers l'ouest se poursuivent encore en Albanie et jusqu'à ce « sérail de Bosnie » dont le panslavisme a fait Sarajevo, voire à Chypre et même à Bakou, porte pétrolière, industrieuse et cosmopolite de l'ancienne Russie. La Turquie est extravertie. La liberté de l'Iran, tout entière méditée dans les cercles ésotériques et les *haouzah* (les écoles chiites) en rupture de ban, résulte de la distillation répétée des expériences spirituelles les plus spécifiquement persanes. Elle est un produit de la révolte des clercs, au cœur même du système très fermé qui l'a provoquée à l'existence par sa clôture. Elle ressemble en cela à l'implosion révolutionnaire d'un judaïsme est-européen, naguère encore adonné à la spéculation kabbaliste et au commentaire obsessionnel et rageur, et qui produit en un siècle le bolchevisme, puis ses antidotes, Trotsky et Eisenstein puis Pasternak et Brodsky.

La liberté de la Turquie n'est pas une négation, comme on le voit en Iran, c'est une affirmation simple et optimiste : elle est la réconciliation bon enfant d'un peuple jeune et encore en quête de lui-même avec tout ce qui, au gré de ses pillages, lui a paru bon et estimable chez les autres. Il y eut une adhésion enthousiaste des Turcs à la renaissance iranienne (les plus beaux exemplaires ornés de peintures sublimes du *Chah nameh*, la

« chronique des rois » de Firdoussi s'admirent d'ailleurs à Istanbul au musée de Topkapi). Ils trouvèrent dans cette renaissance persane cette prise de distance convenable avec l'héritage arabe qu'ils cherchaient eux aussi activement dans la danse tournoyante (le *zikr*) des derviches de Konya et l'exaltation d'un passé propre qui n'avait pas commencé avec l'Hégire. Mais l'âme turque ne résiste pas devant une belle fille qui passe : et la découverte de la Méditerranée, de l'Europe balkanique, de Constantinople et du Caucase circassien allait faire basculer définitivement l'identité turque vers l'Ouest, laissant ainsi les terres d'origine lointaine (Turkestan, Iran central, Azerbaïdjan) à redécouvrir au XXᵉ siècle par les idéologues panturcs qui se sont intéressés à l'identité linguistique, une fois qu'ils eurent assimilé la philosophie de Herder et la grammaire historique de Bopp, bagage obligé du romantisme européen d'où découlent aussi le pangermanisme et le panslavisme.

Cet amour de l'Occident, c'est d'abord l'échange des femmes. L'europhilie turque, on n'ose jamais l'écrire, est inscrite d'abord dans la sexualité des classes dirigeantes : les Circassiennes sont réputées pour leur beauté ; mais les Grecques, les Albanaises et les Slaves du Sud confèrent à leurs maîtres et possesseurs la distinction. Les Turcs Török (les Tou-Kiuë des Han) s'étaient définitivement confondus dans l'océan chinois pour devenir les Weï; la tribu d'Othman, plus nombreuse, et ayant déjà assimilé à elle, en quatre siècles de combats, ces paysanneries anatoliennes mal hellénisées et révoltées contre la féodalité byzantine, fait l'inverse : elle « turquifie » tout ce qui est sur son passage en en assimilant la substance en révolte : Albanais qu'elle place à la tête de l'Empire et même de l'Egypte (les khédives de la descendance de Mehmet Ali), Bosniaques cathares ou simplement commerçants que le petit peuple demeuré serbe ou croate baptisera *Poturica* (ceux qui vivent à la mode des Turcs), cavaliers tatars au visage plat qui sont devenus en Crimée les meilleurs jardiniers et les meilleurs vignerons de la Méditerranée orientale, avant de se réfugier pour nombre d'entre eux sur les rives du Bosphore, paysans bulgares convertis – les Pomaks – qu'on surnomme à Sofia *chorbachi*, ceux qui vont à la soupe, et surtout innombrables Grecs convertis à Istanbul, à Chypre, à Smyrne, en Thessalie et en Crète, à Sinope et à Trébizonde, qui bientôt ne parlent plus que le turc, en conservant intacts leur cuisine et leur goût prédémocratique de la palabre.

Ajoutons une pincée de Géorgie (les Pontiques de la mer Noire ou Lazes et les Adjars de Batoum, ceux-là restés de l'autre côté de la frontière), et beaucoup d'Arméniens qui s'assimilent, et même quelques mercenaires polonais et cosaques ukrainiens qui s'islamisent au XVIIIe siècle : le terrible Enver Pacha, architecte du génocide arménien de 1915, est l'un d'entre eux, un Polonais islamisé et le plus fanatique des Jeunes-Turcs. Jamais, nulle part, le Turc ne répugne à mêler son sang, étranger qu'il est à toute forme de racisme, confiant dans la puissance de la vie à inventer du nouveau et du bien. On peut sourire des harems de femmes blondes de Topkapi et des cheveux teints des élégantes à Péra de nos jours (aujourd'hui Beyoglu, le quartier occidentalisé d'Istanbul), mais l'appétence turque vers l'ouest n'a pas donné que les yeux très bleus et très ronds de l'élite turque contemporaine sur lesquels ironisait tout récemment encore le président turkmène Shapour Mourad Nyazi (Türkmenbashi, le père des Turkmènes) en accueillant son homologue d'Ankara, Souleïman Demirel (« Vous êtes partis avec les yeux en amande et vous nous revenez avec les yeux ronds »). Elle prend aussi la forme sublime de la mosquée ottomane, puissante synthèse architectonique de la basilique byzantine aux proportions développées à partir du nombre d'or, qui se combine ici avec le minaret persan. L'architecture contemporaine, encore aujourd'hui, est l'un des points les plus forts de la modernité turque : le génie synthétique de la nation s'y exprime le plus à loisir. Sinan, sans doute un Grec ou demi-Grec de naissance, théosophe et architecte de génie, converti très sincèrement à l'Islam, conçut en même temps que Michel-Ange à Rome et à Florence et Bramante sur le Janicule ce joyau de méditation plastique qu'est la Mosquée Bleue (Sultan Ahmet), temple d'un Islam en recherche, qui trouve dans l'harmonie suprême des proportions ce geste d'ouverture définitif vers l'Occident, qu'un petit siècle plus tard encore un autre souverain turc, particulièrement pétri de culture persane, celui-là, Shah Jahan, rééditera, au Taj Mahal, cette fois, vers l'Inde éternelle.

Il existe en réalité un style européen d'architecture islamique en Turquie, dont on ne trouve l'équivalent nulle part ailleurs, de Fez à Djakarta, c'est la mosquée ottomane à coupole. Pour qui sait voir, tout est dit dès ce moment : la Turquie n'est que la longue marche d'un peuple de la lointaine Eurasie vers l'Occident. Mais si, comme l'écrit quelque part Youri Tynianov, tout est exprimé dans le cristal de la poésie (il pensait à Pouchkine) et les grands romans en prose qui viennent après elle n'en sont que le commentaire (il pensait là à Tolstoï et Dostoïevski), il nous faut quand même un peu développer la matrice de la vision de Sinan. Passer de la poésie de la Mosquée Bleue, à la prose Jeune-Turque. La Turquie ne rejette jamais, elle assimile : le droit romain que lui lègue Byzance inspire dès le XVIe siècle la politique de l'Etat. Si, après la conquête de l'Egypte en 1517, les cheikhs d'Al Azhar au Caire convainquent le sultan de rétablir le califat à son profit, il n'en renonce pas pour autant au titre de successeur des empereurs romains, n'entreprenant la conversion des peuples de Roumélie (les actuels Balkans) qu'à doses homéopathiques.

Et quand la fortune des armes aura fait passer dans l'empire l'Irak chiite, et même, tout un temps, l'Azerbaïdjan, qu'à cela ne tienne : les chiites auront un pilier consacré à Ali et Hussein à la Mosquée Bleue, et encore au début du XIXe siècle, le souverain fera reconstruire sur sa cassette personnelle le sanctuaire chiite de Karbala, sauvagement rasé par une incursion des barbares wahhabites. Seul l'affaiblissement progressif du moteur impérial explique l'épuisement ultérieur de cette étonnante faculté de syncrétisme turc.

Mais il nous faut terminer ce tour du propriétaire par la chambre la plus secrète et peut-être la plus fondamentale de cette synthèse turque, la dimension juive du projet ottoman dès le XVIe siècle. On ne peut soulever cette question qu'avec crainte et tremblement tant elle est aujourd'hui manipulée par les antisémites turcs, laïques comme fondamentalistes. Mais le déni ici serait bien pire que l'examen objectif du problème : les Ottomans rencontrent le monde juif dès la fondation de leur premier sultanat en Anatolie. Partout dans leur avance, les juifs, qui auront eu beaucoup à souffrir d'une Eglise orthodoxe tout imbue des maximes virulentes de Jean Chrysostome (le mal nommé « bouche d'or ») et de Jean Damascène (le prédécesseur véritable de George Habbache), accueillent les Turcs en libérateurs. Certains, venus de Hongrie, vont même fondre les canons qui abattent les murailles de Constantinople et dispersent un demi-siècle plus tard la troupe fanatisée des Safavides, à Tchaldiran. Mais c'est Soliman le Magnifique, contemporain et allié de François Ier, qui décide par pur souci politique d'accueillir massivement les juifs d'Espagne, du Portugal, de

Naples, de Malte, de Sicile et de Sardaigne, expulsés par la main lourde et puissante des Habsbourg. Les quatre grandes villes de l'Empire, Salonique, Smyrne, Andrinople et Constantinople, deviendront ainsi jusqu'à l'orée du siècle qui précède le nôtre, le réceptacle de la communauté judéo-espagnole et le lieu d'une synthèse judéo-islamique qui vaut bien à certains égards la synthèse judéo-chrétienne. Les Sefardim, les juifs ibériques, vont en effet apporter à l'empire un réseau commercial et intellectuel sans précédent, qui joue un rôle très sous-estimé dans la grande diplomatie ottomane du XVIe siècle. Dès cette époque en effet, la Turquie trouve les moyens d'une alliance stratégique avec les trois puissances anti-espagnoles de l'Europe : l'Angleterre d'Elisabeth Ire, la France de Henri III et Henri IV, la Hollande de Guillaume d'Orange. Partout, ce sont les marranes ou crypto-juifs de Londres, d'Amsterdam ou de Bordeaux, de Nantes et d'Angers, qui tissent ce réseau serré de judaïsme et d'humanisme révolutionnaire qui débouchera au milieu du XVIIe siècle sur les grandes victoires de la liberté européenne.

Contacts commerciaux, culturels (le kabbalisme chrétien) et bientôt politiques (le renversement anti-espagnol de la politique vénitienne après Lépante) sauvent littéralement l'Europe véritable – celle du grand dessein de Henri IV et de Sully – des incendies de l'Inquisition et des cruautés du militarisme castillan. Première esquisse d'une sorte de Communuaté européenne. Un homme juif de haute stature, venu du lointain Portugal, Joseph Nassi, le « duc de Naxos », incarne un temps à la tête de l'administration ottomane cette grande politique de la Renaissance tardive, qui laissera sur l'esprit turc une marque indélébile. Lorsque en 1933-34, les portes de l'Occident tout entier se referment sur les intellectuels juifs de l'Europe centrale germanique (et non juifs d'ailleurs, Ernst Reuter, le futur maire social-démocrate du Berlin de la guerre froide, Wilhelm Röpke, le théoricien du libéralisme moderne, ami de Hayek, en sont de bons exemples), Atatürk s'inspirera de manière tout à fait explicite de la politique des sultans ottomans de la Renaissance pour injecter à haute dose une forte concentration de savoir occidental, empreinte de la même ferveur antinazie, qu'avait exprimée sous sa forme anti-espagnole et anti-inquisitoriale, l'immigration juive précédente. Des noms comme ceux de Hirsch, Neumark, Eckstein, Reichenbach ont marqué des générations d'étudiants turcs respectivement en économie politique, droit, médecine ou philosophie des sciences. Mais ces hommes, dont j'ai pu connaître de mes yeux d'enfant la vie, pour certains d'entre eux à tout le moins, ne faisaient à leur insu qu'achever un long processus d'acculturation.

Ici s'insère sans doute l'un des épisodes les plus étranges tout à la fois de l'histoire juive et de l'histoire turque (mieux connu grâce à Gerschom Scholem dans sa face juive), celui de la proclamation puis de l'abjuration du faux messie Shabbataï Zvi, au milieu du XVIIe siècle. Sa conversion in extremis à l'Islam, qui le sauve du gibet, sera interprétée en effet par ses nombreux partisans, surtout à Salonique, ville alors en majorité juive, comme un dernier signe eschatologique envoyé à ses disciples, afin qu'ils le suivent dans cette voie, afin de mieux réaliser ainsi les desseins cachés de l'Eternel. Une *ghaïba* de facture juive en quelque sorte. C'est ainsi que naît l'étrange communauté des dönmehs (ou « convertis », traduction littérale de l'espagnol *conversos*), destinée à jouer un rôle considérable dans l'histoire ottomane et atatürkienne contemporaine. Un sociologue des religions nous dira sans doute un jour que le phénomène des dönmehs s'explique en partie par l'ambivalence positive de nombreux juifs séfarades vis-à-vis de l'expérience antérieure de crypto-judaïsme souvent vécue pendant plusieurs générations d'affilée par leurs parents dans la péninsule ibérique : le père de Spinoza lui-même n'avait-il pas rejoint Amsterdam après une scolarité jésuite au Portugal ?

La brutalité de la condamnation de cet épisode de clandestinité ibérique (souvent tenu à tort par les rabbins les plus orthodoxes pour une lâcheté majeure) engendre humiliations et ressentiments au sein même des communautés juives reconstituées, de même que le souvenir cuisant de l'Inquisition entraîne par mimétisme souffrant ces excommunications en cascade, que Spinoza est loin d'être le seul, en Hollande, à avoir subies, dans une sorte d'hystérie collective de conversion (c'est tout à fait le cas de le dire). Toujours est-il qu'en renouant avec la condition de crypto-juif (mais cette fois-ci à la différence de l'Espagne et du Portugal sans conséquences fâcheuses pour leur sécurité), les dönmehs rétablissent aussi inconsciemment leur honneur bafoué par des rabbins orthodoxes et dénient la misère (toute relative, il est vrai) de leur condition de protégés tributaires. Ils y parviennent notamment au moyen d'un nouveau mythe messianique réparateur, celui de la prédication ésotérique de Shabbataï Zvi, qu'on peut ainsi qualifier, en faisant ici référence au chiisme, d'imam caché, ou plutôt occulté, d'Israël.

L'incubation du phénomène dönmeh prendra bien deux bons siècles : mais avec la crise du système ottoman des débuts du XIXe siècle, les sabbatéens ont acquis une double culture – judéo-espagnole et turque – parfaite. Plus patriotes encore que tous les autres juifs ottomans, mais accueillis sans réticence en tant que « vrais faux musulmans » dans une armée ou une administration qui se cherchent un nouvel avenir, les dön-mehs seront un ferment de modernité, déjà entièrement tourné vers l'Occident. Or leur crypto-judaïsme – leurs tombes sont reconnaissables à l'absence de tout texte coranique (la *fathiah*) et à la représentation fréquente d'un portique ou de deux colonnes qui symbolisent la réédification du Temple de Jérusalem – apparaît comme totalement convergent avec le crypto-chiisme des élites militaires. Les janissaires en effet, au contact de l'adversaire iranien, ont contracté un attachement souvent ésotérique à la famille d'Ali et de Fatima. Exactement comme les Templiers avaient naguère été contaminés par le chiisme ismaélien d'Alamut. C'est un moyen pour une armée déjà modernisatrice et admiratrice de l'Occident, par goût de vaincre, de prendre ses distances d'avec un sultan jugé trop faible et trop conservateur, et surtout d'avec les grands oulémas sunnites réputés hostiles à toute réforme. Parmi tous les partisans d'Ali (ou alévis), qui encore aujourd'hui représentent sans doute 35 ou 40 % des musulmans du pays, une secte se détache par son audace réfléchie, celle des Beqtashis très représentée en Albanie, où elle est nettement majoritaire, mais aussi en Anatolie et jusque dans le lointain Caucase. Il manquait un lieu pour que les deux saintes folies des disciples de Shabbataï Zvi et des derviches touchés par l'alévisme de Konya se conjoignent : ce sera la franc-maçonnerie de type français, introduite à Salonique et à Istanbul par les loges militaires nées de la guerre de Crimée et des loges d'intellectuels qui prennent appui sur les professeurs juifs français des écoles de l'Alliance israélite d'Adolphe Crémieux. La quasi-totalité des élites beqtashies et dönmehs ainsi que bien des fonctionnaires sunnites et des commerçants grecs et arméniens, encore attachés à l'unité de l'Empire, fraternisent ainsi dans le nouveau credo humaniste, lisent avidement (en français) Voltaire, Montesquieu et surtout Victor Hugo, révéré à l'égard d'un prophète.

Non, les islamistes n'ont pas rêvé : les francs-maçons sont très actifs dans l'armée où ils prennent la relève en une génération des janissaires alévis de Roumélie, ainsi que dans l'éducation. Les premiers lycées modernes à Salonique et à Istanbul ont pour professeurs et dirigeants des dönmehs connus, tous également francs-maçons. Mustapha Kemal fréquentera l'un d'eux à Salonique avant de passer ses examens militaires. L'un des fondateurs au moins du mouvement Jeune-Turc, le 14 juillet 1889, jour centenaire de la prise de la Bastille, est un Dönmeh avoué, Sükrü Bey. Plusieurs généraux dönmehs se battront à la tête de leurs troupes – ce sont tous des artilleurs ou des sapeurs – dans les dernières et malheureuses guerres de l'empire, et l'entourage de Mustapha Kemal, malgré sa totale rupture avec son comploteur ministre des Finances dönmeh Djavid Bey, sera toujours rempli de sabbatéens (et par ailleurs d'une théorie de francs-maçons musulmans, sunnites à l'origine, de rite écossais).

Si l'on ajoute que les grandes victoires militaires des années 1918-1922, notamment sur les Grecs très chrétiens, auront été remportées avec l'aide empressée de l'Armée rouge, Lénine et Trotsky dépêchant même le vice-commissaire Frounzé pour appuyer et conseiller la nouvelle armée turque renaissante, il n'en faudra pas davantage pour que naisse chez les vaincus politiques traditionalistes de cette très difficile période, le mythe du complot *maskomya* (maçons + communistes + juifs) qui plaisait tant à Erdögan dans sa belle jeunesse islamiste où il lui consacra une pièce de théâtre.

Mais c'est aujourd'hui à gauche ainsi qu'à l'extrême droite laïque des Loups gris que ce mythe, version locale du protocole des Sages de Sion, renaît avec force et entêtement : un ancien gauchiste publie en 2003 un gros ouvrage fort mal renseigné sur le complot dönmeh, en attribuant cette origine à tout ce qui à Istanbul écrit ou porte simplement des lunettes – comme le disait avec ironie amère Lili Brik dans de similaires circonstances moscovites. Tout récemment, on publiait aussi *Mein Kampf*, en turc, avec un succès certain, certes inférieur à sa diffusion en Egypte, à laquelle les journaux français ne font en revanche jamais allusion. L'Egypte, il est vrai, n'est pas candidate à l'Union européenne. Il est vain de se tirer de ce mauvais pas par des dénégations telles que celles de l'ancien président Demirel, qui dans le climat délétère des années 1980 alla demander, pour faire taire les aboyeurs islamistes, aux vieux avocats juifs de sa loge mère un certificat de non-appartenance à la franc-maçonnerie. Ou encore de décider, comme la branche turque de la secte des Beqtashis tout récemment, d'interdire à l'avenir la double appartenance à la franc-maçonnerie, provoquant instantanément une scission entre ses membres. Il est inutile de démontrer qu'Atatürk, né d'une famille de Turcs macédoniens, certes à Salonique, n'a jamais été ni de près ni de loin un dönmeh. Il n'est même pas utile de rappeler, qu'influents sur le plan culturel avec deux des plus grands écrivains turcs du XXe siècle, Nazim Hikmet et Yacher Kemal, les communistes prosoviétiques ne sont jamais pour autant parvenus à grand-chose sur le plan politique. Il vaut mieux remonter vers l'origine véritable de toutes ces fariboles, qui ont tout de même coûté la vie, au cœur des années de plomb turques, à l'un des plus remarquables journalistes et intellectuels turcs de son époque, le dönmeh Abdi Ipekci, de la famille des propriétaires du quotidien *Hürriet*, oncle du ministre des Affaires étrangères d'Ecevit, Ismaïl Cem. Son assassin, Mehmet Ali Agça, qui s'en prit à Jean-Paul II dans les circonstances que l'on sait trois ans plus tard, avait déclaré devant ses juges : « J'ai débarrassé la terre de ce juif. »

Cette origine est très simple : engagé dans une réécriture fantasmagorique de l'histoire turque, le courant islamiste invente tout simplement une histoire mythologique qui nie l'extraversion de l'histoire turque, la politique constante des sultans, les origines crypto-chiites de la laïcité moderne, le caractère authentiquement national d'une franc-maçonnerie turque qui prolonge le soufisme plus traditionnel, et « last but not least », l'investissement des juifs de Turquie, et des crypto-juifs dönmehs plus encore, dans l'accomplissement de l'idée turque. Autant vouloir, dans cette kyrielle de mensonges et de suppressions qui tentent hystériquement de nier cette histoire bien réelle, envoyer un pilote-suicide faire exploser avec son avion le monument d'Atatürk à Ankara, préfiguration locale du 11 septembre 2001, ainsi que le suggérait encore en 1998 depuis son réduit afghan Oussama Ben Laden lui-même, au chef intégriste Mehtin Kaplan qui était venu lui demander conseil et faire allégeance. Cette apparente aberration, tel l'hommage que le vice rend à la vertu, devrait nous faire réfléchir : après les tours de Manhattan, le second symbole que Ben Laden voulait voir disparaître de son univers, c'était le souvenir d'Atatürk. Sachons méditer ce point et en tirer toutes les conséquences. C'est en effet la Turquie moderne, ce roc battu des embruns, sur lequel se brisera définitivement la vague islamiste.

Alors, venons-en à présent au kémalisme lui-même. En quoi sa force populaire presque intacte peut-elle bien résider ? La réponse tient en deux mots lapidaires : pluralisme, armée.

Tout le monde connaît et reconnaît l'impact considérable de l'armée sur la Turquie. L'identité de l'Iran, bien avant Khomeyni, a été forgée par ses penseurs religieux d'Ali Reza à Sorawardi, de celui-ci à Mollah Sadra Chirazi, de Chariat Madani à Sorouch aujourd'hui. L'idée turque, qui ne s'est pas encore pleinement réalisée, résulte, elle, de l'armée. Une armée, toujours insoumise, sinon à elle-même, et qui ne croit pas vraiment à l'Islam, quand bien même elle le défend. Le Turc est un combattant bien avant que d'être un musulman, un *gazi*, terme par lequel on désigne métaphoriquement Atatürk, et qui dans l'esprit des laïques fait évidemment pièce au vocable religieux de « prophète ». Dès leur arrivée sur la scène du Moyen-Orient au IXe siècle, les chiites les ont d'ailleurs vus, ces gazis, comme les annonciateurs des temps messianiques, les redresseurs des torts faits aux Alides : « Le prophète a invité les Gazi turcs pour qu'à la fin des temps, ils assurent la victoire du Mahdi », écrit déjà un poète contemporain du sixième imam Djaafar Sadiq. Laïcisée, c'est-à-dire fidèle à son antagonisme envers la religion établie, l'armée ne tient bon, avec une cohésion qui étonne encore les sceptiques, que parce que son esprit de corps, qui vient de loin, la fait vivre dans une autre mystique, celle de la renaissance turque. Mais son jacobinisme revendiqué et explicitement puisé aux meilleures sources françaises au début du XXe siècle, est-il compatible avec le pluralisme que je tiens, pour ma part, comme l'autre facette du kémalisme ?

Oui, assurément, parce que certaine de sa place dans la société turque depuis deux bons siècles en réalité, l'armée n'a jamais revendiqué durablement davantage que sa position actuelle, à la différence de ces armées arabes récentes et immatures qui sont issues d'elle. L'armée turque se nourrit de la société moderne et en garantit le cours. Elle n'entend pas s'y substituer. De mêmes, les militaires s'assurent aussi que cette société ne coagule jamais dans un tout menaçant par sa cohérence même : aussi ces janissaires modernes jouent-ils consciemment, comme l'avait fait d'emblée Atatürk, le développement d'une société diverse et non réunifiée contre

l'ascendant naturel du sunnisme établi : le soufisme, et ses dévotions locales, liés à une confrérie (*tekke*), à un maître, ont informé en profondeur l'Islam turc. Si les premiers temps du
kémalisme ont pourchassé les confréries, en
même temps, la logique philosophiquement
tolérante du nouveau régime en permettait à
terme la renaissance, à mesure que la liberté de
conscience véritable s'y épanouissait. De même
que la logique de la séparation de 1905 en France
est bien davantage l'émergence, avec le Sillon et
Péguy, d'une démocratie chrétienne en gestation
qu'une persécution systématique et sans limite
dans le temps, des congrégations catholiques
réfractaires, de même chez les élèves kémalistes
d'Emile Combes, les encouragements discrets
adressés aux alévis de toutes obédiences – ces
protestants de l'Islam turc – ainsi qu'aux francs-
maçons ne pouvaient que déboucher, dans
l'après-guerre de Menderès, sur la renaissance
des *tekkes*, sunnites certes, mais soufis avant tout.
Ceux-ci ont d'abord servi de réservoir de voix
conservatrices à des partis de droite, de plus en
plus flottants dans leur laïcisme à partir des
années 1960 ; ils ont aujourd'hui placé tous leurs
avoirs dans le nouveau parti islamo-démocrate
AKP, le parti de la Justice et du Développement

(mais aussi « AK Partisi » le parti blanc, en turc, le parti qui lave plus blanc). Par là même, toutefois, ce foisonnement complexe de mosquées, indépendantes les unes des autres, interdit, sauf sur une frange très marginale, toute dérive intégriste salafiste. Le parti AKP, dominé aujourd'hui par la célèbre confrérie d'Iskander Pacha, ne peut ni remettre en cause la démocratie libérale, ni taxer le raki – l'alcool d'anis –, boisson nationale des Turcs, au même degré qu'il y est parvenu avec la bière ou le vin. Il n'est hostile ni à la musique, ni ouvertement, à tout le moins, au rôle croissant des femmes dans la vie publique. L'armée ne suffirait jamais à l'autolimiter de la sorte. Ce qui est à l'œuvre ici, c'est le pluralisme fondamental d'une société turque, musulmane mais complexe, où personne ne peut s'arroger le monopole du vrai, surtout la mosquée et ses oulémas. Il n'est pas douteux que l'AKP aimerait desserrer l'étau des militaires sur la vie politique, et espère de Bruxelles un coup de pouce politiquement correct pour s'attaquer plus franchement à la laïcité. Mais c'est peine perdue : toute la Turquie, en dehors de petites franges marginales, est d'accord pour que chacun aille dans sa direction sans imposer son mode de vie aux autres, et elle respecte une armée qui a construit la Turquie, et su organiser à sa manière son pluralisme foncier, culturel et cultuel plus encore que politique.

De cela tous sont convaincus, hormis les Kurdes. La question kurde nécessite donc ici un traitement spécial. Au départ, le pouvoir kémaliste s'est donné pour but de refaire, après l'effondrement de l'empire ottoman, une nouvelle identité, nationale, étatiste et laïque, sur le modèle, rigoureusement suivi, en tous points de la République française. Ceux qui prônaient activement ce modèle unificateur et son corollaire, l'unité linguistique diffusée à l'aide de l'alphabet latin qui rompait tous les ponts dans le temps et dans l'espace, avec le passé ottoman aussi bien qu'avec l'ère islamo-arabe, n'étaient pas toujours turcs au sens ethnique du terme, loin s'en faut. Mais, nous l'avons vu, l'identité turque n'est pas un stock, c'est un flux. Ce que des réfugiés bosniaques, albanais (plus d'un million d'entre eux dans les années 1920), ouïghours du Xinjiang qu'on installe à Ankara dans le nouveau faubourg de Sinjan précisément, tatars en fuite de la fournaise russe, ottomans hellénisés de Salonique et de la Crète, bulgares turquisés, turkmènes d'Irak et azéris de Bakou comme de Tabriz qui choisissent de vivre en Turquie par idéal ont accompli dans la ferveur, les Kurdes, imaginaient les kémalistes, allaient aussi pouvoir l'accomplir, cette assimilation au « moi fort » turc, gage de la nouvelle modernité : s'il y eut bien par le passé une mystique soufie kurde (elle est à l'origine même du mouvement safavide en Iran sous sa forme chiite), il n'y eut jamais en revanche de littérature kurde, pas même de langue unifiée. Celle dont usent, en Turquie, les nationalistes kurdes, en alphabet latin, est difficilement intelligible aux Kurdes d'Irak et d'Iran [1]. L'idée séparatiste kurde ne s'est réellement développée qu'avec la théorie des nationalités de l'Internationale communiste, qui, au nom de l'égalité entre les peuples, reconnut tout d'abord la nationalité kurde en Union soviétique, (il s'agissait essentiellement de Yézidis semi-païens fuyant dans ce refuge qu'était pour eux la Russie tsariste, les persécutions religieuses dans l'empire ottoman). Puis, avec l'occupation de l'Iran par les Soviétiques en 1941, Staline sort son « grand jeu » : il coopte un grand féodal, le mollah Mustapha Barzani, dont il fera après un rapide passage sur le front de Berlin un Héros de l'Union soviétique, et lui fait proclamer une république kurde d'Iran

---

1. Tout comme l'est le turc de Turquie en Ouzbékistan.

à Mahabad en 1946, complément et allié de l'Azerbaïdjan séparatiste qu'il cherche à mettre en place à Tabriz, avec des cadres communistes venus de Bakou comme le jeune Haïdar Aliev, alors lieutenant du KGB. Le mouvement pan-kurde est né, emmailloté dans le drapeau rouge de « l'amitié entre les peuples ». Barzani revient, en Irak cette fois, après la révolution antimonarchique de 1958 et s'engage à nouveau dans un mouvement de séparation après la victoire du Baas, sur Kassem, le premier président du nouvel Irak républicain, qui, lui, était une sorte de kémaliste de gauche, proche des communistes, et lui-même de mère kurde. Le radicalisme de l'insurrection de Barzani finit par gêner Moscou dans ses desseins désormais panarabes. C'est alors que se substitue un temps l'Etat d'Israël à l'Union soviétique, comme soutien principal des Kurdes d'Irak, entre 1964 et 1969 environ.

En Turquie, ces épisodes sanglants frappent l'imagination de toute une génération en révolte touchée, comme dans tout l'Occident, par la vague gauchiste. C'est ainsi que s'affirme peu à peu, et dans le sang des groupes rivaux le Parti des travailleurs kurdes ou PKK, d'Abdüllah Ocalan, d'abord de tendance marxiste-léniniste pro-albanaise, mais très vite récupéré par l'aile pro-arabe KGB, grâce à l'aide de la Syrie d'Assad qui le manipule pour paralyser l'armée turque sur sa frontière orientale, redevenue stratégique après 1970. Un dur conflit s'engage dont on sort à peine.

Nous sommes encore loin du compte, avant de trouver une solution politique satisfaisante pour tous. Mais trois constats s'imposent d'emblée : l'insurrection du PKK, par ses violences atroces (auxquelles ont répondu les violences non moins atroces des islamistes kurdes du Hezbollah, un temps manipulés, parfois à leur insu, par les services secrets turcs), n'a jamais recueilli l'unanimité de la population. Une immense répugnance envers cette violence rurale sans pitié prend peu à peu la place chez la majorité des Kurdes de Turquie des certitudes sanguinaires des années 1980. A Dyarbékir, capitale désormais millionnaire de la région kurde de Turquie, un maire qui se réclame d'une gauche modérée, Bözdemir, commence à voir un travail politique patient et pacifique porter ses fruits [1]. Mais aussi on ignore encore trop que l'assimilation culturelle

---

1. Elle s'accompagne de reclassements spectaculaires dans la génération des anciens Peshmergas qui ont déposé les armes et jouent à présent le succès d'une dynamique démocratique de bon augure.

de nombreux Kurdes, qui ne sont en rien discriminés ni par l'Etat ni par le cours impétueux de la vie courante, fait partie des faits massifs de la Turquie moderne. La barre de la proportionnelle installée à 10 %, et qui a éliminé de l'actuel Parlement la plupart des partis laïques de la gauche et du centre en pleine déroute, a toujours servi à empêcher la représentation d'un parti autonomiste kurde. Mais celui-ci, nullement illégal depuis le gouvernement Özal des années 1980, atteint régulièrement les 8 % des suffrages. C'est la dispersion des suffrages kurdes qui l'a privé aujourd'hui de représentation parlementaire. Car il y a plus de 15 % de Kurdes dans la population du pays : les 7 autres pour cent, soit près de la moitié de la population kurde, votent par conséquent pour des partis « turcs », notamment la gauche d'Ecevit, tout un temps, et l'AKP semi-islamiste aujourd'hui. On ignore parfaitement que le ministre des Affaires étrangères des années 1990, le social-démocrate Hikmet Cettin, est un Kurde nullement honteux. On ne sait pas davantage que l'actuel Parlement compte aujourd'hui, surtout parmi les élus de l'AKP, une bonne soixantaine de députés kurdes. L'assimilation brutale et fortement linguistique a sans doute vécu. Mais aujourd'hui, la grande majorité des Kurdes, qui s'est peu à peu urbanisée, parle le turc et lit l'alphabet latin (que la région kurde d'Irak vient d'adopter). Comparer la condition des Kurdes en Turquie, en Iran et dans l'Irak du Baas (de loin la plus terrible) peut faire comprendre aisément les chances d'une solution réformiste et démocratique au problème : les Kurdes de Turquie ont entre leurs mains, et de loin, bien plus d'atouts que leurs frères d'Iran, voire d'Irak, malgré l'autonomie tout récemment acquise par ces derniers, et l'élection de l'un des leurs, Jalal Talabani, à la présidence du nouvel Etat.

Car tout est là. Réformisme, démocratisme. Après ses victoires inespérées des années 1920, le Gazi pouvait tout imposer à un peuple turc qui n'était pas passé bien loin de la mort historique pure et simple. Mustapha Kemal se serait-il fait bouddhiste qu'une bonne partie du pays le serait devenue à sa suite. Dans un monde de nuages totalitaires qui s'amoncelaient autour de la Turquie, encore faiblement modernisée hors Istanbul, la solution de facilité évidente était là, à portée de main. Le parti unique à la sauce fasciste, les foules océaniques convoquées pour écouter d'interminables et écœurants discours du commandant suprême, la police politique omniprésente. A moins que la constitution soviétique stalinienne de 1936, qui fascinait tant Ismet Inönü, dans sa jeunesse, n'ait inspiré d'autres mesures d'exception, à peine différentes des précédentes.

Or, Atatürk n'est nullement troublé par ces influences, bien au contraire. Contre le soviétisme, il s'appuie sur une politique économique semi-libérale, celle de Celal Bayar et de son conseiller Hirsch, que reprendront après 1950 les démocrates de Menderes. Contre le totalitarisme hitlérien, il se réconcilie avec la Grèce de Venizelos, se rapproche de la France et de ses satellites d'alors, Yougoslavie et Roumanie, pour verrouiller les Balkans à l'influence allemande. Au grand journaliste juif autrichien Emil Ludwig, qui lui rapporte en 1935 les appréciations flatteuses de Mussolini à son endroit, il se récrie en traitant le Duce de « hyène », à cause de la guerre d'Ethiopie, et tout au long de cette période où l'Allemagne nazie le considère encore favorablement, il maintient par défi un dönmeh à la tête du ministère des Affaires étrangères. Il avait même songé quelques années plus tôt à autoriser un second parti, de semi-opposition, avant que d'y renoncer devant le ridicule de la situation (« le parti du oui », et « le parti du oui, monsieur », avaient dit instantanément les persifleurs, toujours nombreux à Istanbul). Mais Atatürk, lui, n'admirait que l'Occident, ses valeurs et sa liberté. Et sa politique n'était qu'européenne, parfois à l'excès lorsqu'il laissait avec indifférence son ancien allié Reza Khan dériver vers l'alliance nazie qui lui coûtera son trône en 1941 ou encore ne manifestait qu'indifférence pour l'avenir post-colonial de l'Irak et de la Syrie, rancunier qu'il était à tort de la défection probritannique des élites arabes, au crépuscule de l'Empire ottoman.

C'est en cela que l'esprit du kémalisme, porté par l'union de l'armée et du pluralisme foncier des Turcs, aura survécu à toutes les traverses, et à l'extinction bien naturelle de la lettre du kémalisme. On l'a déjà écrit : si de Gaulle avait dû quitter cette terre, à Dieu ne plaise, au début des années 1950, sans aucun doute certains de ses fidèles eussent critiqué toute ambition nucléaire de la France au nom de la supériorité de l'arme blindée, gravée pour l'éternité dans l'œuvre doctrinale du général.

Aujourd'hui, de la même manière, certains kémalistes de vieille souche, si proches là encore de certains de nos républicains immarcescibles en France, prétendent s'opposer à l'européanisation de la Turquie au nom de la laïcité et de la souveraineté de l'Etat. Mais la poigne de fer dont usa parfois le Gazi, en de bien sombres temps qui furent au total moins sombres qu'ailleurs au-dessus du ciel d'Istanbul – au moins tant qu'il vécut –, n'était jamais qu'une méthode pour parvenir à un but : l'élévation du pays vers la démocratie et la prospérité européennes, où la culture française et la précision allemande allaient jouer le même rôle que naguère la profondeur métaphysique et la splendeur imagière de l'Iran. Que la Turquie doive demain bénéficier de sa double matrice pour devenir ce pont de liberté entre l'Europe de l'Ouest et l'Iran, nul doute. Que les musulmans pieux, les Kurdes, les communistes et les fascistes reconvertis de Bahceli trouvent leur place dans le nouveau jeu politique pluraliste, nul doute encore. Mais il faut savoir que cette mutation décisive accomplit le kémalisme, elle ne le défait pas. A condition toutefois que l'Europe politiquement correcte et si ignorante de ce qui n'est pas encore elle, approuve cette vérité fondamentale : c'est le janissaire qui est en Turquie le meilleur ami de la liberté. Personne n'a intérêt demain à le désarmer. Réduire aujourd'hui trop vite la place de l'armée turque dans la politique du pays, c'est entreprendre de couler le vaisseau de la démocratie et de la république, au moment précis où celui-ci arrive en vue du port.

Quant aux partis politiques structurés, ils viendront par surcroît. Dès 1946, un bipartisme encore timide s'instaure entre l'ancien parti unique, kémaliste, étatiste et de plus en plus socialisant, le Parti républicain du peuple (CHP) et un Parti démocrate, fondé par quelques notables de la période d'Atatürk, qui se réclame très ouvertement du modèle américain, et plus discrètement d'un assouplissement des normes kémalistes, ce qui lui vaut d'emblée le concours enthousiaste de l'Islam des campagnes. Vainqueur de la première élection pluraliste en 1951, Menderes, le chef charismatique des démocrates, sera hélas renversé par l'armée en 1960, et son meurtre judiciaire sera applaudi bruyamment par l'extrême droite et l'extrême gauche alliées dans ce forfait, chacune espérant vainement convertir les chefs de l'armée, à dix ans d'intervalle, l'une à une sorte de nassérisme turc, l'autre à un modèle de tyrannie latino-américaine. Commence alors pour de bon le temps des troubles, qui, après deux interventions musclées de l'armée, se terminera quand même par la reprise du processus de démocratisation, là où Menderes l'avait laissé, à la fin des années 1950. Mais tout au long de ces vingt années de fièvre (1960-1980), le pluralisme véritable s'instaure tant bien que mal malgré les ratés de la démocratie et la mise à mal de l'Etat de droit. Communistes et islamistes, qui avaient été exclus d'emblée par Atatürk du jeu politique, le réintègrent alors et apparaissent d'abord sous des noms d'emprunt : Parti ouvrier pour les uns (dirigé bien sûr comme son nom ne l'indique pas par d'anciens dirigeants du mouvement étudiant), Parti du Salut national pour les autres (un Salut national qui passe pourtant par une capitulation de la Turquie moderne face à l'Islam arabe). Mais au lieu de l'intégration lente et patiente qu'aurait permis la poursuite du parlementarisme menderésien, le putsch de 1960 aura introduit une dynamique fiévreuse de surenchère et d'affrontements. Un seul homme, Bülent Ecevit qui fut, au Parti républicain du peuple, le successeur officiel d'Ismet Inönü et donc indirectement de Kemal lui-même, portera la lourde responsabilité de cette intégration déstabilisatrice : à gauche, il ouvrira les rangs du parti républicain, qu'il entend transformer en formation socialiste doctrinaire, à nombre de communistes, en mission infiltratrice, tel le syndicaliste Kemal Türkler, assassiné bientôt par l'extrême droite ; à droite, il tendra le premier la main aux islamistes d'Erbakan, par volonté de rapprochement avec le monde arabe et antisémitisme à peine dissimulé. En 1974, un gouvernement de coalition contraire à tous les principes, pas seulement kémalistes, réunit Ecevit et Erbakan, soutenus par l'extrême droite des Loups gris, du colonel autrefois pro-nazi Alparslan Türkes, chassé de l'armée en 1944. C'est ce gouvernement qui envahira Chypre et partitionnera l'île dans des conditions qui, depuis lors, obèrent lourdement l'image de la Turquie dans le monde. La logique de 1960 parvenait à son terme tragique.

L'inversion du processus avec le consentement de l'armée du général Evren commence avec un homme neuf, Türgüt Özal, qui remet en selle enfin la démocratie turque renaissante, au début des années 1980, sur de bien meilleures bases. Ancien islamiste de province, comme Erdögan aujourd'hui, et musulman dévot qui accomplira par trois fois son pèlerinage à La Mecque, Özal découvre aussi dès son avènement, lorsque des militaires, qui l'avaient sous-estimé, sont confrontés à son grand savoir-faire, l'importance de l'héritage kémaliste : sa période de leadership correspond en fait à l'assimilation de l'idéal occidentaliste d'Istanbul et d'Ankara par les masses profondes de l'Anatolie islamique. Le réconciliateur débonnaire et dynamique saura aussi gagner la confiance des Kurdes modérés, dont il légalise le parti, même noyauté par des émissaires du PKK comme Leïla Zana (qui finira d'ailleurs par atterrir en prison pour de longues années), des intellectuels centristes qui se déprennent de la fascination de l'autorité, des entrepreneurs désireux d'accéder au libéralisme économique, et d'une armée qui comprend que loin de la menacer, il pérennise, à sa manière, son autorité morale.

Mais le reste ne lui appartient plus : le déclin de son parti nationaliste, l'ANAP ou Parti de la Mère-Patrie, ou celui parallèle de son rival de centre droit, le Parti de la Justice (DYP), héritier du Parti démocrate, scelle pour un temps le sort de la droite parlementaire et ouvre grand la porte aux islamistes. Pourtant cette nouvelle droite libérale sera un temps favorisée par l'émergence de la figure, initialement charismatique, de Tansu Çiller, première femme à diriger le gouvernement turc, avant que l'opinion publique ne se convainque de son irrémédiable corruption. Ces échecs de la droite postözalienne laissent chez les conservateurs un grand vide que les islamistes vont donc peu à peu combler. A gauche, l'intégration réussie du marxisme communisant et du tiers-mondisme de ressentiment, dans le vieux parti kémaliste conduit à la même bipartition entre partisans d'Ecevit et modernistes du Sodep (le Parti social-démocrate dont le leader sera tout un temps le fils du président Ismet Inönu, Erdal, par ailleurs grand physicien, coarchitecte du programme nucléaire civil turc). Toutes ces formules de plus en plus dépassées ont au moins le mérite de familiariser la grande majorité des Turcs au pluralisme des idées et des hommes, ainsi qu'à des élections rendues sans cesse plus sincères, sans cesse plus compétitives par l'exacerbation des rivalités au sein de la classe dirigeante. Après une brève et irresponsable alliance de Tansu Çiller avec les islamistes d'Erbakan, l'armée impose une dernière fois, en 1997, mais par la persuasion parlementaire, l'émergence d'un bloc laïciste improbable, allant d'Ecevit à gauche au successeur d'Özal, Mesut Yilmaz à droite. Ce bloc laïque, de plus en plus incohérent, parviendra néanmoins à remettre la Turquie sur les rails de la candidature européenne avec son ministre des Affaires étrangères, Ismaïl Cem, et de la rigueur financière, enfin atteinte avec Kemal Dervis, le Delors de la Turquie revenu tout exprès de la Banque mondiale pour terrasser la grande inflation. Finalement, ce passage permettait aux forces politiques en présence une ultime mutation vers un grand parti laïque tout à la fois kémaliste et européen, qui aurait pu dépasser les identités de plus en plus floues de la droite et de la gauche. Cette évolution rapide qui aurait pu épargner à la Turquie le prix du pouvoir de l'AKP ne verra pourtant pas le jour : face à un Ecevit, vermoulu, et dogmatique à son habitude, le bloc laïque n'évolue en effet pratiquement pas, dans chacune de ses composantes et marginalise malheureusement ses meilleurs représentants. Les islamistes au contraire tirent plus vite les leçons de la crise de 1997-1998, et, au lendemain du 11 septembre 2001, décident de rompre toutes les amarres avec les conservateurs iraniens et les Frères musulmans arabes, tout comme le Parti communiste italien l'avait fait en son temps avec Moscou. Ainsi « blanchi », l'AKP parvient sans peine (et avec l'aveu de son propre frère survivant) à s'installer dans le rôle qu'Özal avait créé avec succès : celui d'un traditionalisme populiste mais moderne qui assume une part grandissante du patrimoine commun kémaliste et europhile de la Turquie moderne. Erbakan est définitivement écarté et exclu du parti qu'il avait fondé, quand un Ecevit déposé pérore encore en pure perte, au milieu des ruines d'une gauche dévastée par ses propres fautes. Les électeurs ne s'y trompent pas, qui portent l'AKP au pinacle. Mais pour autant, que ce parti ne cesse de s'éloigner de sa matrice islamique et sache oublier ses origines. Le centre-gauche et le centre-droit laïques, pour la part qui est la leur, ne sont aucunement pour l'heure reconstruits, ce qui assure pour l'instant, et de manière un peu illusoire, l'ascendant de l'AKP qui ne regroupe en fait qu'un gros tiers du corps électoral. Mais voilà encore une ruse de la raison : la démocratie est définitivement validée par le compromis historique qui est en train de voir le jour en Turquie, entre militaires éclairés qui ne veulent pas du pouvoir politique, et musulmans éclairés qui consolident par leur ralliement même à l'Europe, les fondements d'une alternance apaisée. Kemal Dervis, finira bien, lui, par s'adjoindre des partenaires en nombre suffisant pour reprendre dans quelques années le pouvoir à Erdögan et Gül. Rien ne presse. Il faut auparavant que l'AKP jouisse pleinement du pouvoir jusqu'à en être saisi par la débauche. Entre-temps, c'est un vent de liberté qui souffle sur Istanbul et Ankara, produit de l'équilibre dynamique qui vient d'être atteint.

L'essence d'une civilisation s'aperçoit parfois mieux dans ses périphéries qui en ont conservé la ferveur : on comprend ainsi bien des choses à l'ambition de la Contre-Réforme catholique quand on la contemple des églises de Récife ou de Manille, des missions jésuites du Paraguay ou grâce aux lettres familières que le père Ricci expédiait de Pékin. Que le lecteur me pardonne ici ce témoignage personnel : jamais ne n'ai compris la gloire de l'Europe aussi intensément qu'en ce soir de novembre, à Téhéran, lorsque, au terme d'une longue journée d'entretiens d'ailleurs fort passionnants avec la mollacratie de toutes tendances, je suis arrivé à la nuit tombante à l'ambassade de Turquie. J'y ai été accueilli par la cinquième symphonie de Mahler que jouait la radio musicale (turque). Puis, après un verre de vin et du café turc, j'eus la grâce d'entendre l'ambassadrice interpréter au violon la première sonate de Beethoven, accompagnée au piano d'une jeune et fougueuse Iranienne qui avait maintenu, par des leçons particulières, le savoir musical qu'on pouvait encore acquérir si librement sous le chah. Dans la vague populiste qui court en ce moment même en Europe, j'ai bien envie de dire que le souvenir de ces deux femmes également virtuoses, libres de leur art comme de leurs cheveux, m'a fait ressentir tout à coup la grandeur du destin de notre continent aujourd'hui miniaturisé par la mièvrerie humanitaire, le discours verbeux du Parlement de Bruxelles et Strasbourg, et la vachardise sans rivages des électeurs populistes, de droite comme de gauche. Décidément, oui, nous avons bien besoin de l'innocence turque, de l'audace turque pour être nous-mêmes encore, et accueillir sans peurs absurdes ces peuples qui font appel à nous par ce qu'ils ont de meilleur, ces peuples croient encore, est-ce une illusion, à notre intrinsèque grandeur.

L'Islam du Prophète

Après la statique, la dynamique. Après l'anatomie, la physiologie. Comment ces deux sociétés turque et iranienne peuvent-elles évoluer ensemble? Comment peuvent-elles évoluer séparément?

Il existe hélas une possibilité catastrophique parfaitement concevable. Dans ce scénario, le régime au pouvoir à Téhéran serait saisi de ce que Staline avait autrefois appelé fort pudiquement : « le vertige des succès ». En peu de temps en effet, un régime chiite composite, mais uni dans sa volonté d'alliance avec l'Iran, va émerger en Irak, et très vite pourrait aussi négocier un retrait américain que Washington accepterait sans trop maugréer pour soulager son flanc stratégique, à l'heure où des décisions importantes devront être assumées entre Israël et les Palestiniens, le Pakistan et l'Inde, avec une Qaïda toujours capable d'agir, toujours dirigée par le duumvirat Ben Laden/Zawahiri. Face à l'alliance menaçante de toutes les forces sunnites islamistes et baasistes d'Irak, les Kurdes auront accepté eux aussi un compromis historique avec le gouvernement des ayatollahs de Bagdad ainsi qu'avec celui de Téhéran lui-même, pour combattre l'ennemi qui leur est commun. Car à Mossoul comme à Kirkuk, les Kurdes sont affrontés uniquement à des Arabes sunnites, jamais à des chiites : pour peu que les Kurdes acceptent le partage équitable des royalties du pétrole de Kirkuk dans le cadre d'un Etat irakien unitaire, ce à quoi les Américains ne pourront que les contraindre, et l'alliance, déjà palpable aux élections irakiennes, des chiites du Sud et des Kurdes du Nord-Est sera scellée avec pour parrain Washington et pour marraine Téhéran, une fois encore.

En échange, Sistani et Khamenei auront aussi laissé le réduit kurde s'étendre jusqu'à Kirkuk sans obstacle, en écrasant sans trop de ménagement et au grand dam d'Ankara les droits et les aspirations du million et demi de Turkmènes d'Irak, dont cette région est le centre traditionnel. La logique de ce bras de fer peut aussi conduire Barzani et Talabani, aiguillonnés par leurs nouveaux protecteurs chiites à Bagdad et à Téhéran à récupérer le mouvement kurde de Turquie, en plein désarroi depuis l'implosion du PKK et la capture d'Öcalan, et à conforter, dans la foulée, la nouvelle fronde des Kurdes de Syrie de la région de Kamichli, qui ne s'étaient jamais agités avant la chute du Baas irakien. Ce serait là la punition pour l'aide que Damas fournit à Zarkaoui et à ses amis d'Al Qaïda, tous les jours.

Parallèlement, l'Iran peut, en quasi-simultanéité avec le basculement ainsi décrit de l'Irak, se déclarer enfin puissance nucléaire, « à la mode pakistanaise », et user de ce nouveau et considérable prestige pour faire valoir son autorité régionale nouvellement affirmée. Cette option serait à tous égards désastreuse car un tel schéma nous ramènerait en plein XVIIe siècle lorsque s'affrontaient califat ottoman sunnite et empire de Perse safavide chiite pour la direction ultime de l'Islam.

A trois siècles de distance, le même affrontement produirait en effet les mêmes résultats catastrophiques : car, sous le souffle d'un tel développement de puissance agressive irano-irako-kurde, la Turquie ne pourrait que se raidir. Face à un défi chiite et pro-iranien, tout à la fois venu de Téhéran et de Bagdad, l'armée turque aurait tendance à s'entendre avec ces forces sunnites arabes en plein désarroi à l'intérieur de l'Irak, qui repoussent pour autant la voie sans issue du Djihad de Zarkaoui. Tout le Nord arabe de l'Irak, autrefois fief du Baas, mais d'école hanafite plutôt modérée, comme la Turquie voisine, se tournerait dans cette hypothèse vers Ankara et vers Damas où règne encore avec Bachar Assad et sa faction modérée, une certaine laïcité nationaliste arabe. Or, en Syrie même, des voix s'élèvent déjà en faveur d'un tel rapprochement avec la nouvelle Turquie de Gül et Erdögan : ce sont les rares entrepreneurs privés d'Alep et de Damas, les politiciens baasistes d'origine sunnite autrefois associés de Hafez Assad, voire Bachar Assad lui-même, dont le voyage officiel en Turquie en 2003 avait marqué la fin de la guerre couverte que son pays menait depuis vingt ans à son grand voisin du nord. Un tel revirement est en effet possible depuis que le gouvernement de Damas, en partie pour se dédouaner aux yeux de la majorité sunnite de sa population, fournit à l'insurrection islamo-baasiste irakienne le gîte et le couvert, sans trop l'avouer. Une intensification de la brouille déjà perceptible entre Damas et Téhéran, une montée du danger kurde en Syrie, combinée à un échec du Djihad sunnite le plus extrême en Irak, et le basculement serait complet. Il entraînerait même assez vite un autre renversement à 180° du Hezbollah chiite libanais : celui-ci n'a-t-il pas déjà conclu un pacte d'entente informel avec le front indépendantiste que constituent ensemble les chrétiens libanais, les druzes de Walid Djoumblatt et les sunnites fidèles au défunt Premier ministre Rafic Hariri, qui du reste a très certainement payé de sa vie l'audace stratégique d'avoir complètement isolé Damas en intégrant à nouveau le Hezbollah dans la vie politique libanaise ?

Rien n'empêcherait ici l'Iran de jouer la carte d'un Liban à nouveau indépendant, dont les mollahs de Téhéran et de Bagdad apprécient à sa juste valeur l'intérêt stratégique pour le chiisme, en lâchant une Syrie devenue incertaine et que la logique même des événements survenus en Irak conduit inexorablement à l'affirmation croissante de sa large majorité sunnite qu'avait déjà courti-sée Hafez Assad, en se présentant comme conver-ti au sunnisme d'école malékite. L'impératif pour les ayatollahs d'une cessation rapide du Djihad irakien, sans laquelle un desserrement de la présence américaine serait inconcevable, ne peut que les conduire à diverger davantage encore d'une Syrie alliée désormais à ce Djihad, et demain à une politique sans doute moins voyante mais tout aussi antichiite quant au fond.

Deux facteurs sembleraient aller dans la même

direction et accentuer ce schéma conflictuel : une Arabie saoudite épuisée par la contestation interne des islamistes radicaux qui rêvent de renverser la famille royale des Saoud (ou à tout le moins une large partie de celle-ci) se voit exposée chaque jour davantage à la pression d'Al Qaïda et de ses sympathisants par la logique même de la guerre civile latente de l'Irak. Conduite par des baasistes nostalgiques de Saddam Hussein, des islamistes liés aux adversaires des monarchies du Golfe, et des agents secrets pakistanais ou égyptiens proches des Frères musulmans, la « résistance » en Irak (puisque c'est ainsi que la baptisent les néo-vichystes français), antichiite tout autant qu'antiaméricaine, exprime également à terme un fort potentiel antisaoudien ou plutôt antimonarchiste. Il n'est ici que de constater le grand succès politique que furent en 2004-2005 les élections afghanes, irakiennes et même palestiniennes, et, à l'inverse, l'inquiétant fiasco des petites élections municipales pourtant très encadrées de Riyad, la capitale du royaume saoudien, où tous les sièges furent raflés par des candidats intégristes en sympathie profonde avec le programme d'Al Qaïda.

Aussi substituer à Zarkaoui et à ses assassins de grand-guignol le fantassin turc assisté d'un pouvoir réformé du Baas syrien a de quoi séduire la faction modérée de la famille royale saoudienne, aujourd'hui en échec sur tous les fronts, et dont le chef, le roi Abdallah, est tout autant le soutien indéfectible de l'Etat syrien et de la famille Assad, dont il est proche, que l'associé et le bailleur de fonds des islamistes modérés turcs.

A un axe chiite Iran-Irak-Liban (déjà au XVIIe siècle, l'émir Fakhreddine, fondateur du Liban moderne, s'était allié aux Safavides de Perse contre le sultan de Constantinople) s'opposerait ainsi un nouvel axe sunnite, relativement modéré, Turquie-Syrie-Arabie saoudite. D'un côté comme de l'autre pourtant, ces deux axes, aussi modérés qu'on les voudra à l'origine, seraient de nature catastrophique : le premier, l'axe chiite, dans sa logique belliqueuse, oblitérerait pour de bon les avancées libérales de la nouvelle donne irakienne et préparerait, tout comme en Iran naguère l'agression baasiste de Saddam Hussein en 1980, le durcissement théocratique et identitaire du nouveau régime, faisant sans doute alors de Sistani, à son corps défendant, un nouveau Khomeyni. Nul doute que le nouveau président iranien élu Ahmadi-Nedjad favoriserait s'il le pouvait, cette approche, pensant bien à tort qu'elle lui rallierait à terme les islamistes sunnites de Syrie, d'Irak et de Turquie. Au Liban, elle entraînerait pour l'instant l'alliance indépendantiste chrétiens-druzes, dans un processus de dépendance vis-à-vis du bon vouloir du Hezbollah, lequel demeurerait dans cette hypothèse la sentinelle terroriste de l'Iran, postée sur la frontière nord d'Israël, en cas de crise nucléaire avec l'Etat hébreu, en mission de sacrifice dissuasif. Mais le second nouvel acteur régional, l'axe sunnite, ne serait pas moins dommageable pour ses protagonistes : en Turquie, il permettrait à l'aile dure de l'AKP, mal convertie au nouveau credo européen des dirigeants du parti, de brandir contre la laïcité libérale turque l'hypothèse d'une « grande politique arabe », qui d'Ecevit à gauche à Erbakan à l'extrême droite, a toujours servi, en Turquie, les desseins des forces autoritaires de ce pays, qu'elles soient sourdement ou explicitement antikémalistes, c'est-à-dire antieuropéennes. Mais en Syrie même ce grand tournant ne pourrait à terme que conforter une certaine forme de dictature sunnite, potentiellement hostile un jour prochain aux alaouites, aux chrétiens et aux Kurdes, surtout si elle aboutit à la réconciliation souhaitée par les Saoudiens avec les Frères musulmans qui négocient activement leur légalisation avec Bachar Assad et plus encore avec son beau-frère Shawkat, le chef bien trouble des services secrets. En Arabie saoudite même, elle ne ferait que différer le moment des grands ajustements nécessaires et n'éteindrait pas la contestation radicale, dont le chef véritable est l'imam égypto-qatari Karadawi, qui dirige de facto la chaîne de télévision pseudo-libérale Al Jazira, par l'entremise de son ami le ministre de l'Intérieur du Qatar. Mal maîtrisée, une telle confrontation, déjà sanglante sur le sol irakien, pourrait s'étendre de proche en proche, en réveillant les angoisses identitaires des Turcs chiites de l'Iran, les Azéris, et les Qashqaïs, déchirés entre leurs deux patries réelles, iranienne et turque, en raidissant un Azerbaïdjan indépendant ex-soviétique déjà allié, comme la Géorgie, à Ankara, face à une Arménie liée à l'Iran, voire menacer la cohésion encore précaire de l'Afghanistan de Hamid Karzaï, et pourquoi pas de l'Ouzbékistan lui-même, si sensible aux influences d'Ankara... et si proche pourtant culturellement de Téhéran.

Arrêtons là ces visions de cauchemar. Un tel schéma apocalyptique a peu de chances de se réaliser, malgré ses antécédents historiques, pour quatre raisons essentielles d'importance croissante, et qui toutes renvoient à la logique implacable du Djihad d'Al Qaïda, qui s'impose à tous les protagonistes et, ici, calme leurs ardeurs.

<u>Première raison</u> : la puissance de l'insurrection islamo-baasiste. L'Irak ne peut être maîtrisé dans toute l'étendue de son territoire, ni par destruction militaire qu'obtiendrait une nouvelle armée régulière irakienne alliée de l'Iran, voire l'armée iranienne elle-même convoquée en renfort, ni non plus par absorption des djihadistes par un leadership nationaliste sunnite plus modéré que ne le sont les chefs insurgés actuels, ce leadership s'étend alors, par hypothèse, tourné vers Damas et Ankara. Certes l'absorption de l'insurrection sunnite irakienne aboutirait à une tutelle directe de la Turquie et de la Syrie, poussée en ce sens par les modérés saoudiens, sur une partie homogène du territoire irakien conduisant à une sorte de partition de facto du pays. Mais dans la réalité de l'Irak d'ajourd'hui, ni des baasistes désespérés, orphelins de Saddam, ni les intégristes déchaînés par Zarkaoui, ne peuvent accepter une telle tutelle, celle de leurs ennemis jurés, Erdögan, Bachar Assad et le roi Abdallah. Quant aux sunnites modérés véritables, ils sont déjà prêts à s'accommoder de la nouvelle majorité chiite à Bagdad, sans passer par une médiation turque ou saoudienne. Quant aux chiites irakiens,

sans tradition militaire, même épaulés par des Iraniens faiblement performants et des peshmergas kurdes qui ne s'avancent jamais en terrain inconnu, ils ne peuvent pas davantage maîtriser leurs compatriotes sunnites que les Tadjiks de Massoud ne pouvaient s'imposer aux Pathans en Afghanistan sans une aide à la fois politique et militaire des Etats-Unis. Ici Washington tient enfin sa revanche : après la chute de Saddam, les Iraniens tenaient les Américains entre leurs mains. Ils pouvaient instantanément leur rendre la vie impossible en Irak et ne l'ont pas fait. Après la formation d'un Etat irakien à dominante chiite, c'est Téhéran qui a besoin d'une certaine présence américaine. Car, désormais, le sort de cette expérience intéresse directement l'Iran.

Tout comme en Afghanistan par conséquent, il n'y a de solution en Irak que dans le maintien pour une durée de quelques années d'une aide militaire substantielle des Etats-Unis et de l'Angleterre, peut-être épaulés dans leur présence directe sur le terrain, par une contribution de l'Europe continentale. Si aujourd'hui, nous l'avons vu, l'Iran tient George Bush à sa merci en lui assurant la paix civile sur les deux tiers du territoire irakien au moment le plus crucial de la transition, il n'en reste pas moins qu'un équilibre moins unilatéral s'établira sur la durée, où les obligations entre Washington et Téhéran iront vers une réciprocité inévitable.

Or, il n'y aura pas de trêve au Djihad d'Al Qaïda en Irak qui viendrait soulager les ayatollahs, parce que l'organisation intégriste y joue tout son avenir et que les soutiens saoudiens de ce combat (pakistanais également) y voient la première ligne de défense d'une péninsule arabique sous hégémonie wahhabite, très menacée. Là-bas, en effet, les chiites, cousins germains de ceux d'Irak, sont majoritaires à Bahreïn, nombreux à Dubaï, et presque entièrement concentrés dans le royaume saoudien (où ils représentent 10 % au moins de la population) dans la seule province du Hasa, la plus riche en hydrocarbures. Cette minorité serait donc capable, en théorie, de paralyser par son insurrection toute l'économie du royaume, et ainsi l'économie mondiale.

Or, il n'est pas question pour l'aile extrême du pouvoir saoudien qui ici fait explicitement jonction avec Al Qaïda, par l'intermédiaire de l'homme de main Zarkaoui et de ses sponsors pakistanais, de lâcher quoi que ce soit en matière de tolérance religieuse à l'intérieur du royaume. La détermination du ministre de l'Intérieur saoudien le prince Nayef, qui dirige à présent le clan des Soudaïris – autrefois ferme soutien de l'alliance américaine –, est totale lorsqu'il s'agit de combattre les chiites, dans le golfe Persique comme en Irak, et de toujours les dénoncer, même comme des « crypto-juifs » et des apostats de l'Islam, qui sont donc passibles d'un Djihad véritable. Ici, aucune trêve n'est en vue.

Cette détermination, suicidaire sur le long terme mais possible à tenir pendant quelque temps, impliquera donc une marginalisation progressive du clan réformateur saoudien, qui veut faire des concessions aux chiites du Hasa [1], un maintien de la présence américaine en Irak qui deviendra nécessaire, même pendant tout un temps, à la poursuite de la stratégie iranienne, et une crise prolongée et indécise de l'Etat syrien, pris entre le désir de survie politique de la secte alaouite de Bachar Assad et la montée d'isla- mistes sunnites résolus à combattre aux côtés de leurs frères irakiens. L'actuel régime à Damas ne peut, en réalité, ni soutenir sérieusement sa majorité sunnite ni sérieusement la combattre : pour l'instant, il louvoie encore. Profitant, sans

---

1. Déjà en juin 2005, le roi Abdallah n'est pas parvenu à coopter son allié le plus important, le prince libéral Bandar, ambassadeur à Washington pendant près de vingt ans comme chef des services secrets.

doute pour plusieurs années à venir, de la haute conjoncture pétrolière.

Dans ces conditions, Turcs et Iraniens pourront s'entendre au moins sur deux points essentiels sur le plan stratégique. Modérer quelque peu les désirs d'indépendance des Kurdes d'Irak afin de se protéger ensemble des séparatismes kurdes à venir en Turquie, Iran et Syrie. Mais sans pour autant les réprimer comme autrefois. Ensuite, coopérer pour éviter une implosion catastrophique de l'Etat syrien, qui ne servirait qu'aux desseins des Frères musulmans. Ces deux objectifs requièrent aujourd'hui une certaine dose de bonne volonté des Etats-Unis en Irak et d'Israël en Syrie.

<u>Deuxième raison</u> : l'indisponibilité turque à une « grande politique moyen-orientale ». La Turquie, nous l'avons vu, demeure vectorisée par son rapport à l'Europe. Cet axiome fondamental du kémalisme profond survit au déclin du kémalisme institutionnel lui-même. Même proche des modérés saoudiens, mais pas du reste du pouvoir intégriste wahhabite, l'AKP ne commettra pas le suicide politique de s'embarquer dans une alliance de revers pro-arabe et sunnite qui, quelle que soit l'hostilité américaine à une partie du pouvoir iranien, ne pourra jamais être validée

comme telle par Washington. Ainsi serait rapidement perdu l'appui des Etats-Unis et de l'Angleterre dans tous les dossiers européens. L'armée turque est certes la garante de l'unité du pays. Mais elle n'a pas d'appétit pour guerroyer avec des Arabes semi-baasistes contre des Kurdes, qui commencent justement en Anatolie à se rallier à une participation démocratique, derrière le nouveau maire de Dyarbékir, Bözdemir. Sans provocation inutile, la réconciliation turco-kurde serait même en assez bonne voie, précisément parce que les Kurdes de Turquie attendent beaucoup d'une entrée dans l'Europe, sur le plan des libertés politiques, et que les Kurdes d'Irak ont besoin d'un accès facile au marché voisin de la Turquie, pour ne pas dépendre uniquement du bon vouloir du gouvernement chiite de Bagdad.

Les Turkmènes d'Irak sont à peu près divisés à part égale, en sunnites et chiites. Eux aussi préfèrent, pour l'instant, le nouveau pouvoir arabe chiite à Bagdad, qui n'est ni assimilationiste ni centralisateur. Et leurs liens intimes, notamment dialectaux, avec les Azéris d'Iran les rendent plutôt désireux de voir Ankara et Téhéran coopérer, plutôt que de s'affronter. Le chef tutélaire des Turcs d'Irak est le grand professeur de médecine Ihsen Dogramaci, lui-même sunnite très laïque, et fondateur de l'université Bilkent d'Ankara, le Harvard de la Turquie moderne. En reconnaissance de ses services à la rénovation du système de santé en Azerbaïdjan, le défunt président Haïdar Aliev avait fait ériger sa statue sur une place de Bakou, en l'an 2000. Les mêmes liens demeurent avec son fils Ilham, qui lui aussi défend la cause des Turkmènes d'Irak, aux côtés d'Ankara.

Le ralliement de l'Azerbaïdjan et des Turkmènes d'Irak eux-mêmes à une politique pro-arabe et anti-iranienne de la Turquie, serait donc plus que douloureux. Quant aux Azéris, tant d'Azerbaïdjan que d'Iran, tous chiites à des degrés divers de ferveur, ils sont assurément culturellement tournés vers Istanbul, mais jamais vers l'Arabie saoudite qui persécute les chiites : si la Turquie cesse d'être laïque pour s'affirmer par-dessus tout sunnite, elle perdra ipso facto la sympathie des 8 millions d'Azéris de l'Azerbaïdjan indépendant et plus encore des 15 millions d'Azéris d'Iran, qui lui est aujourd'hui largement acquise. Et comment réagiraient les 25 millions d'alévis, Beqtashis et crypto-chiites de Turquie à une telle révolution géopolitique ? L'alliance néo-ottomane de la Turquie et de l'Arabie saoudite est donc un double mirage : la

Turquie moderne n'est pas sunnite... Elle est turque et laïque. L'Arabie saoudite n'est pas non plus seulement sunnite... Elle est wahhabite et intégriste. Erdögan ne peut pas davantage abolir l'œuvre de Kemal qu'Abdallah ne peut subvertir le legs d'Ibn Saoud. Heureusement dans le premier cas, dommage dans le second.

Ne l'oublions jamais, l'armée turque est laïque, tout comme les janissaires d'antan étaient crypto-chiites : elle se sent plus proche du peuple iranien, des Kurdes et même des chiites irakiens, que des Saoudiens qui, par leurs fondations diverses, n'ont notamment cessé de vouloir éroder son pouvoir intérieur. La seule armée du monde arabe pour laquelle elle éprouve réellement estime et confiance, c'est l'armée jordanienne, grâce notamment aux nombreux officiers caucasiens, circassiens ou tchétchènes de tradition ottomane qui la dominent et qui n'ont jamais cessé de combattre et de mépriser les Bédouins wahhabites du Nedjd en consolidant leur alliance tacite avec les tribus du Hedjaz, proche des Hachémites, qui, elles, n'ont jamais non plus renoncé à leur Islam modéré de confession chaféite.

Les Israéliens, eux, sauf à se voir garantir le désarmement complet du Hamas palestinien et la dislocation militaire du Hezbollah libanais par la nouvelle direction syrienne, peu vraisemblables dans l'immédiat, n'ont aucune raison de s'associer à ce grand renversement islamisant sunnite de l'équilibre régional : ils planteraient là toute coopération militaire avec Ankara. Et l'armée turque ne souhaite pas non plus rompre en visière avec une alliance israélienne qu'elle juge toujours nécessaire sur le plan du renseignement comme de la technologie. Ne serait-il pas plus efficace de s'appuyer pour l'épineuse question turco-kurde de Kirkuk sur une médiation des Américains et des Israéliens qui tiennent toujours autant à leur alliance avec l'armée turque qu'avec les peshmergas kurdes ? Après tout, Massoud Barzani n'a-t-il pas déjà affronté les armes à la main avec l'aide des services spéciaux turcs les coupejarrets du PKK kurde, venus de Turquie pour envahir le réduit kurde irakien, et n'a-t-il pas longtemps bénéficié, tout comme son rival et allié, Jalal Talabani, le nouveau président de l'Irak, d'un passeport diplomatique turc ? Kurdes et Turkmènes peuvent se réconcilier dans un endiguement du nationalisme arabe en Irak qui leur a toujours été également hostile, comme il était hostile à toute expression du chiisme réputé pro-iranien.

Troisième raison : Les rigidités de l'Etat syrien lui-même empêchent ses dirigeants d'aller jusqu'au bout du grand basculement prosaoudien et proturc que certains à Damas agitent au nez du protecteur et ex-allié iranien dans un bras de fer qui n'est nullement terminé. La brouille entre Damas et Téhéran est intervenue lorsque le jeune mollah aux sympathies nationalistes arabes Moktada Sadr, s'est lancé au printemps 2004, contre la hiérarchie chiite de Nadjaf, dans une tentative de soulèvement antiaméricain, qui devait aboutir, dans sa conception, à rejoindre le Djihad sunnite de l'ouest du pays. Tant l'Etat syrien que le Hezbollah libanais et sa chaîne de télévision Al Manar, se sont alors mobilisés en faveur de cette solution de force, conforme tant à la vieille idéologie khomeyniste qu'à l'idéologie baasiste de Damas. Mais sous l'impulsion des ayatollahs Khamenei, Rouhani (le secrétaire du Conseil national de sécurité) et consorts, le gouvernement iranien a jeté d'emblée son poids dans la balance en faveur du grand ayatollah Sistani... et donc de l'occupation américaine, pour l'instant. Très vite, Téhéran commençait à suspendre la majeure partie de son aide militaire à la Syrie, tandis que les Saoudiens assuraient les arriérés des soldes de l'armée de Damas ainsi que le financement des bases arrière du Djihad sunnite en Irak. C'est dans ce contexte que le Hezbollah, repris en main par les émissaires de Téhéran, commençait à indiquer aux autres partis libanais sa nouvelle disponibilité en faveur de l'indépendance du Liban. La brouille de la Syrie et de l'Iran était ainsi consommée, après vingt-cinq ans d'alliance stratégique.

Mais il existe tout de même de sérieuses limites à cette dérive : certes, la minorité alaouite à Damas est bel et bien déchirée entre « durs » qui espèrent s'entendre avec les sunnites locaux, baasistes comme islamistes, afin de conserver quelques acquis du protectorat au Liban, auquel sont attachés tous les Syriens, et « libéraux » (encouragés un temps par Bachar Assad) qui souhaiteraient se rapprocher des Américains pour, eux aussi, conserver, d'une certaine manière, un protectorat légèrement aménagé au Liban, mais sans affrontement avec l'Occident et Israël. Ces derniers, qui espèrent encore amadouer l'administration Bush et préserver leurs derniers amis libanais regroupés autour du président Lahoud, avaient été prêts à fermer progressivement les bases arrière du Djihad irakien en Syrie, en échange d'une plus grande flexibilité des Occidentaux sur la question libanaise. Les mêmes veulent aussi toujours renouer avec l'Iran. Mais le meurtre sauvage de Hariri fait à présent pencher la balance dans un sens qui ne leur est pas nécessairement favorable. Plus personne ne les écoute vraiment à Washington, et c'est un peu dommage.

Mais les uns comme les autres savent aussi que la division des alaouites ouvrirait la porte au massacre de leur communauté, à la destitution du Baas (qui inquiète aussi les chrétiens et les sunnites laïcisés), peut-être à l'éclatement territorial du pays. De cela, personne ne veut vraiment à Damas. La guerre civile y est donc hautement improbable. Le coup d'Etat est en revanche très possible. C'est la raison pour laquelle le pouvoir alaouite a toutes les raisons de caboter encore le plus longtemps possible, en donnant un jour des gages de responsabilité à Washington, un autre une promesse de soutien à Téhéran, tout en achetant sa sécurité en laissant Al Qaïda et les services spéciaux saoudiens, pakistanais et même égyptiens épauler le Djihad irakien. Faute de quoi, ces derniers se retourneraient bien vite contre l'Etat alaouite syrien, avec l'aide de la puissante confrérie des Frères musulmans. Or, il n'y a pas d'alternative sunnite suffisamment modérée pour être crédible, en remplacement de l'actuel pouvoir à Damas. Toute victoire purement sunnite en Syrie se traduirait par l'arrivée massive des islamistes aux centres de décision, arrivée que le pouvoir alaouite endigue encore quelque peu. C'est la raison pour laquelle l'Iran a quand même besoin de ce pouvoir pour la poursuite de sa présence politique en Irak et au Liban, et l'Amérique pour la stabilisation d'une région explosive où son ennemi principal demeure Al Qaïda. Reste à voir si les peuples, au Liban comme en Syrie, auront la même sagesse. Dans l'hypothèse la plus terrible, l'implosion de la Syrie alaouite, on verrait sans doute quand même Turquie et Iran collaborer pour interdire la victoire totale des intégristes saoudiens et égyptiens alliés de leurs homologues syriens.

Quant aux dirigeants turcs « islamo-modérés », n'est-il pas significatif qu'ils soient en train de bâtir un mouvement international distinct de celui des islamistes traditionnels, avec les progressistes chiites des frères Khatami en Iran, et, de plus en plus intéressés par la manœuvre, des semi-islamistes marocains de Justice et Développement, qui sont candidats à la cooptation par le pouvoir royal au Maroc. L'AKP n'a plus, en revanche, aucun contact avec les Frères musulmans syriens toujours proches du vieux leader islamiste turc Necmettin Erbakan qu'ils ont exclu de leur nouveau parti. L'AKP a ainsi déjà choisi le dialogue prudent avec Téhéran et non le changement de régime à Damas, en faveur des Frères musulmans et des pro-saoudiens.

Mais la quatrième raison emporte toutes les autres : il s'agit tout simplement du problème nucléaire. On connaît l'équation fondamentale de ce dilemme : le pouvoir iranien, toutes tendances confondues, veut passer en force au stade nucléaire tant que les Américains sont trop occupés en Irak à garantir l'avenir du nouvel Etat, pour leur rétorquer sérieusement, c'est-à-dire militairement. Les Iraniens sont sûrs pour l'instant du veto russe et chinois en leur faveur au Conseil de sécurité, et indifférents dans un premier temps à des sanctions européennes hypothétiques et de toute manière négligeables en période de haute conjoncture pétrolière. Ils pensent donc que seule la menace de représailles israéliennes pourrait devenir sérieuse, et estiment être à même de s'en débrouiller par la dissuasion conventionnelle en usant de la réponse que représente le Hezbollah libanais. Sans doute cette menace n'est-elle qu'à moitié crédible, mais elle ne vient que consolider l'essentiel : en vérité, il est également très difficile à Israël d'organiser des représailles sérieuses sur des sites nucléaires iraniens très dispersés, et l'hypothèse d'une campagne israélo-américaine de bombardements aériens massifs et répétés sur l'Iran, à la manière de l'opération « Rolling Thunder » contre Hanoï en 1966, ne pourrait que conduire à une alliance contre nature de Téhéran avec Al Qaïda. C'est là que seraient précarisés très dangereusement l'Irak et l'Afghanistan, que Moktada Sadr reprendrait ses manœuvres terroristes à Bagdad, et que Ben Laden sortirait enfin de sa boîte pakistanaise. Car l'ouverture prématurée du conflit américano-iranien dans la région aurait pour inéluctable conséquence la liquéfaction des bases politiques du compromis de facto intervenu à Kaboul comme à Bagdad entre Washington et Téhéran. L'Iran, qui a toujours maintenu un certain contact avec les divers mouvements djihadistes sunnites, relâcherait les cent cinquante cadres d'Al Qaïda, dont l'Egyptien Saïf Al Adel, le chef des opérations spéciales de l'organisation, qu'elle maintient sous cloche à Yazd, et redeviendrait la grande base logistique du terrorisme, n'ayant désormais plus rien à perdre. Là, le prix payé, tant par Jérusalem que par Washington, serait d'autant plus élevé qu'il n'existe aucune certitude que le programme nucléaire iranien serait définitivement arrêté par ces bombardements de représailles. A l'inverse cependant, à peine l'Iran abandonnerait-il toute son ambiguïté nucléaire actuelle pour menacer sérieusement ses voisins, d'un emploi de ses nouvelles armes, immédiatement ses sites de missiles et ses bases diverses deviendraient la cible de premières frappes israélo-américaines. Aucun dirigeant iranien n'est non plus prêt à payer ce prix exorbitant : il en résulte que le nucléaire iranien peut être géré par la dissuasion simple. Autrement dit, même la détention de facto d'une arme nucléaire par l'Iran – qui a aujourd'hui pour équivalent sémantique la décision iranienne de reprendre l'enrichissement de son uranium – ne signifierait pas tout de suite une capacité supérieure de menace stratégique de Téhéran. Le pays serait désormais l'objet d'un ciblage nucléaire permanent par Israël et les Etats-Unis, à terme la Russie voisine. Toute menace de transmission de matériel nucléaire à un groupe terroriste quelconque pourrait donner lieu à une première frappe nucléaire tactique immédiate sur le sol iranien. A ce jeu, l'Iran serait au contraire vite forcé de fournir des explications et des garanties sur sa posture nucléaire, comme tous, Chinois, Indiens, Russes, Américains, Israéliens, ont dû le faire, à un moment ou à un autre. Telle est la logique non cataclysmique de la dissuasion nucléaire. Elle repose malheureusement sur un abîme vertigineux : le danger nucléaire lui-même. Mais de cela, nous avons contracté l'habitude depuis les cinquante dernières années.

Le passage de l'Iran au stade nucléaire aboutirait aussi rapidement au développement d'un vaste bouclier antimissiles en Israël, déjà en développement, mais aussi peut-être à une mise au pas du Hezbollah au Liban, afin que le territoire chiite de la frontière nord d'Israël ne puisse pas servir de terrain pour des représailles iraniennes asymétriques sur l'Etat hébreu.

Si par ailleurs la Chine s'obstinait à vouloir fournir à un Iran nucléarisé des vecteurs de plus en plus performants, elle verrait le même bouclier diffuser ses vertus tactiques d'abord au Japon, et si nécessaire à Taïwan. Ce sont là des séries d'équations que tout le monde peut avoir en tête, à Pékin comme à Téhéran, et qui doucheront pour l'instant certaines exaltations nucléaires excessives.

Bref, le passage progressif de l'Iran au stade nucléaire, implique non pas la guerre avec Israël et les Etats-Unis, qui provoquerait des dommages trop importants de part et d'autre, mais la recherche active d'un compromis, technique pour commencer, politique ensuite. Elle implique aussi une troisième conséquence, pourtant imparable, et que personne semble-t-il n'aperçoit encore : l'évolution possible de la Turquie, à son tour, au stade nucléaire.

Tout commence comme une comptine, il y a bien longtemps, en 1950 : MacArthur, choqué par le succès de l'offensive chinoise en Corée, pendant l'hiver 1950-1951, perd son flegme et demande au gouvernement américain un bombardement nucléaire massif de la Chine, prélude à une reconquête du pays par le Kuo Mintang. Mao à son tour exige de Staline une garantie nucléaire soviétique pour le territoire chinois. Truman calme alors le jeu en destituant MacArthur, tandis que Staline refuse sa garantie nucléaire à Mao, mais se déclare prêt, en échange, à aider la Chine à se doter à terme d'une dissuasion atomique qui lui soit propre. La bombe chinoise est née, et elle exercera plus tard un effet dissuasif plus important encore sur l'Union soviétique que sur les Etats-Unis. Lorsque, en 1961, l'armée chinoise inflige une défaite humiliante à l'Inde sur le plateau tibétain de l'Aksaï Chin, Nehru se jette quelque temps dans les bras de l'Amérique de

Kennedy. Washington assurera donc Delhi des moyens d'un programme nucléaire militaire via le faux nez d'un programme pseudo-pacifique de conception canadienne. Lorsque, en 1971, l'Inde remporte la grande victoire stratégique sur le Pakistan qui aboutit à la naissance du Bangla Desh, Mao décide à son tour d'aider, par représailles, son allié chancelant d'Islamabad, exactement comme Staline l'avait fait pour la Chine vingt ans plus tôt : la Chine donnera donc au Pakistan les premières bases d'un programme nucléaire, lequel aboutira à la bombe vingt ans plus tard, après plusieurs injections de technologie chinoise et de financements saoudiens et malaisiens.

La perspective d'une prolifération nucléaire en Arabie saoudite se profile d'autant plus que le royaume wahhabite se porte au début des années 1980 acquéreur, au nez et à la barbe des Américains, de missiles chinois à moyenne portée (aujourd'hui fort heureusement périmés) achetés à Pékin par l'entremise du Pakistan. Pour éviter toutefois les représailles prévisibles de Téhéran, ennemi juré de l'Arabie saoudite, sur leur pays qui compte tout de même 15 % sans doute de chiites, les responsables civils et militaires pakistanais relancent en compensation la coopération nucléaire avec l'Iran : trois cuillérées pour Riyad, une pour Téhéran, il en faut davantage pour garantir durablement la coopération avec l'Iran, qui se rapprochera rapidement de l'Inde : la Chine, de son côté, assure la livraison de technologies balistiques à l'Iran via l'allié nord-coréen. Pour interrompre ce flux technologique, Israël joue alors le rapprochement avec Pékin, et envisage même, avant le veto américain, de l'étendre à la Corée du Nord de Kim Jong II en échange d'une nouvelle modération de l'industrie de défense chinoise. Qu'à cela ne tienne : Rafsandjani négocie alors en 1990 avec un Gorbatchev aux abois, l'extension de l'aide technologique « pacifique » de l'Union soviétique, avec l'extension de la centrale de Bushir, en échange d'un soutien de Téhéran à l'intégrité territoriale très menacée de l'Union soviétique. (C'est ainsi que, Tadjikistan excepté, toutes les nouvelles républiques musulmanes indépendantes du Caucase et de l'Asie centrale, joueront systématiquement avec la Turquie et contre l'Iran russophile, écœurées par cet abandon.)

Mais la boucle n'est pas encore bouclée : il faut encore pour cela que l'imminence de l'achèvement du programme nucléaire iranien diffuse à plein sur ses voisins régionaux : on peut douter que les Etats-Unis laissent impunément l'Arabie saoudite transférer la bombe pakistanaise, qu'elle a déjà payée, chez elle. En revanche, l'Egypte, seul véritable contrepoids arabe à la nouvelle puissance iranienne, s'agite beaucoup dans le sens d'une reprise de son programme nucléaire que Sadate s'était engagé à interrompre lors des accords de Camp David de 1979, en échange d'une restitution intégrale du Sinaï par Israël. Mais ces agitations ne sont encore rien à côté de la certitude d'une réaction turque de grande ampleur. C'est ainsi depuis cinq siècles, la Turquie ne se compare dans la région qu'à l'Iran : parfois dans l'émulation (Reza Chah et Atatürk), souvent dans la rivalité. Si la garantie nucléaire américaine à l'intégrité du territoire turc dans le cadre de l'OTAN était préférable à toute autre solution nationale, celle-ci s'est à présent considérablement émoussée : avec la disparition de toute menace soviétique, l'Arménie, la Géorgie et la Bulgarie (ces deux dernières alliées explicites d'Ankara) ne représentent en rien des menaces stratégiques. Seul, l'Iran, surtout s'il est l'allié du nouvel Irak, de l'ancienne Syrie, et subliminalement d'une Russie plus nationaliste, ne peut être laissé seul à développer sans limites sa puissance nucléaire, face à la Turquie. Certes, une nucléarisation forcée mais sauvage de la Turquie nuirait gravement à sa candidature européenne : une Union européenne dont Ankara serait le troisième pilier nucléaire avec Paris et Londres, sans Berlin ni Rome ni Varsovie, serait évidemment inacceptable, impossible à concevoir. Mais la Turquie pourrait alors penser à une solution de type japonais : posséder, mais séparément, les trois composants du programme, sans jamais les réunir avant la matérialisation d'une menace imminente : Tokyo dispose aujourd'hui du plus grand stock mondial de plutonium, grâce à la technique du retraitement, d'une batterie de centrales nucléaires aussi performantes que versatiles, et surtout du premier programme mondial de fusées pour satellites commerciaux. Il faudrait entre six mois et un an pour équiper le Japon d'une soixantaine de bombes avec des lanceurs performants. La Turquie n'a pas besoin de tant que cela pour sa dissuasion virtuelle : une relance de son programme civil qu'elle envisage dès à présent, la maîtrise des techniques d'enrichissement et la livraison par un fournisseur étranger de missiles pour l'instant conventionnels, suffirait largement. Sans aucun doute, la meilleure réponse israélienne serait de faciliter et d'accélérer ce programme qui resterait très longtemps, comme au

Japon, en dessous des radars de l'AIEA de Vienne, avec le consentement tacite des Etats-Unis. Si l'annonce d'un tel programme turc, en simultanéité du franchissement du seuil nucléaire par l'Iran, peut provoquer dans un premier temps un regain de tension, très vite la perception par Téhéran d'un équilibre régional intangible avec Ankara fera passer, beaucoup plus rapidement qu'à l'époque de la guerre froide, de la phase de l'équilibre de la terreur à celle du contrôle réciproque des armements, ainsi qu'on le constate dès maintenant dans le cas pourtant autrement plus épineux du Pakistan et de l'Inde. Ainsi se mettrait en place une chaîne de décélération nucléaire exactement parallèle à la chaîne de prolifération que nous décrivions précédemment : la bombe virtuelle turque et la bombe israélienne pacifient les aspirations stratégiques de l'Iran, lequel inhibe parfaitement, par son alliance de revers avec l'Inde, la bombe pakistanaise. La bombe pakistanaise équilibre la puissance de l'Inde et la contraint à la recherche de solutions politiques à la partition de l'Asie du Sud, la bombe indienne (aidée à terme par le Japon) est un contrepoids en Asie à l'hégémonie nucléaire chinoise, laquelle se trouve également bloquée par la bombe potentielle de Tokyo. Cette chaîne

est encore fragile, mais c'est elle qui se substitue-
ra peu à peu à la politique actuelle de non-
prolifération pour des raisons profondes et irré-
versibles : après une période initiale de terreur
sacramentelle, l'Occident s'est en effet parfaitement adapté à la logique de l'anéantissement
réciproque et assuré (le MAD, « Mutually Assu-
red Destruction ») pour respirer à l'abri de ses
parapets nucléaires et construire dans les faits un
ordre pacifique qui a même résisté parfaitement à
l'implosion pacifique de l'Empire soviétique. La
dissuasion nucléaire est bel et bien l'équation
cachée de la prospérité relative du nord de la
planète. L'absence de dissuasion, à l'inverse, est
la vulnérabilité essentielle de son sud. La première, la Chine en est sortie au début des années
1970, et son programme nucléaire, garantie
ultime de sécurité, a permis à un puissant génie
politique comme l'était Deng Xiaoping de jeter
les bases de la richesse à venir sans obérer la
reprise économique à partir de 1978, par des
budgets militaires conventionnels trop lourds. A
présent, le petit « MAD » local indo-pakistanais
préserve Delhi d'une montée aux extrêmes, et
garantit Islamabad contre une implosion, assistée
par l'Inde, de son Etat, sur le modèle du Bangla
Desh de 1971. Paradoxalement, la dissuasion

réciproque indo-pakistanaise combinée avec le verrouillage de l'Afghanistan par un début d'alliance irano-américaine contraint peu à peu le Frankenstein militaire de la vallée de l'Indus à un retour au bercail, qui préludera à sa décadence et à son désarmement progressif par une société civile pakistanaise de type indien, mais sur un tempo moins concentré et moins crispé qu'aujourd'hui. De même, la dissuasion turco-israélienne, arc-boutée sur une garantie américaine en demi-teinte, aboutira à diminuer l'impact du programme nucléaire iranien et à faire avorter, pendant qu'il en est encore temps, les programmes beaucoup plus déstabilisateurs de l'Egypte et de l'Arabie saoudite. C'est ainsi qu'un second équilibre de la terreur pourra progressivement s'instaurer, équilibre dans lequel l'Iran trouvera finalement avantage à minorer dès à présent ses ambitions nucléaires, et sera placé devant la nécessité de rendre compte de sa stratégie réelle aux Turcs, aux Israéliens et aux Américains, ses véritables partenaires de demain.

Nous sommes partis d'une hypothèse d'affrontement turco-iranien et nous en arrivons à présent à définir un espace de pacification assis sur les quatre réalités du nouvel Irak, de la préservation a minima d'une Syrie unitaire, de la priorité turque à une politique européenne et atlantique, et de la canalisation probable des ambitions nucléaires de l'Iran : or le nouvel Irak, sans avoir résolu, tant s'en faut, tous ses problèmes, commence néanmoins à émerger comme une construction politique viable, douée d'avenir, où l'Iran engrange les plus prometteurs résultats, mais où la Turquie est loin d'avoir tout perdu, surtout si elle joue en tant que contrepoids non antagoniste de l'influence iranienne. La priorité turque à sa politique européenne, laquelle passe aussi par sa fidélité atlantique qui lui assure l'appui de Londres devant la Commission de Bruxelles, ne sera jamais interrompue par un « mirage oriental », à la vérité peu prometteur. Restent les deux problèmes épineux : celui de la modération progressive des ambitions nucléaires de l'Iran, et celui du maintien à bout de bras de l'Etat syrien au cas où ce dernier choisirait la voie de l'affrontement au Liban et en Irak. Mais au moins dans le quatrième cas, celui de la Syrie, les intérêts de la Turquie et l'Iran sont déjà convergents. La suite appartient au savoir-faire des hommes et à la volonté de Dieu.

Si donc la probabilité d'une coopération turco-iranienne s'affirme peu à peu, comment peut-on dès lors penser les effets vertueux d'une telle réconciliation sur tout l'équilibre régional? <u>Le premier effet vertueux</u> d'une telle transformation pourrait être le renouveau d'une politique énergétique de l'ensemble turco-iranien, indépendante du cartel actuel de l'OPEP, à dominante arabe et même panarabe. Il se trouve en effet que l'ensemble turc se trouve à présent, pour la première fois depuis la confiscation de Mossoul par l'empire britannique en 1918, en position de jouer un rôle constructif dans le marché en pleine expansion des hydrocarbures : l'Azerbaïdjan, très proche de la Turquie, dépend à présent sur le plan logistique de l'oléoduc qui aboutit à Ceyhan sur la mer Méditerranée, en Cilicie. Plus à l'est, la Turkménie, véritable émirat gazier, a été jusqu'à faire d'un grand industriel turc du textile, Hassan Calik, son ministre de l'Industrie : elle exporte déjà une partie de son gaz en Iran, avec le consentement explicite des Etats-Unis. A Kirkuk enfin, le principal gisement pétrolier de l'Irak se trouve en territoire kurde, mais aussi au cœur d'une région où les Turkmènes (chiites et sunnites en égale proportion) ont toujours eu leur centre en Irak. Aussi sans équivaloir le potentiel de l'Iran et du sud de l'Irak, l'emprise indirecte des Turcs cesse d'être négligeable. Or, les dix années qui viennent où se combineront inévitablement incertitudes géopolitiques (du Venezuela à la mer de Chine, avec un point névralgique dans le golfe Persique) et tensions de la demande globale, provoquées par la forte croissance asiatique, garantissent de toutes les manières des prix relativement élevés sans intervention du cartel de l'OPEP. Mieux, le niveau du prix ainsi garanti, permettrait à l'ensemble turco-iranien élargi à l'Irak de jouer désormais la multiplication de ses parts de marché (et non plus la hausse des prix) en direction du monde occidental, en rompant toute discipline de l'OPEP, qui ne sert aujourd'hui qu'à favoriser une Arabie saoudite de plus en plus hostile, à la politique pétrolière de plus en plus déstabilisatrice. Les retombées des royalties pétrolières bien redistribuées sur les trois régions kurdes de Turquie, d'Irak et d'Iran permettraient enfin d'associer ce peuple courageux à un développement qui lui a longtemps échappé, et ainsi, bien entendu, de diluer dans la prospérité naissante les diverses aspirations sécessionnistes. J'ai déjà baptisé il y a quelque temps cette politique de « Saadabad inversé » : on sait qu'au début des années 1950, la Turquie proaméricaine, l'Irak hachémite encore tourné vers l'Angleterre et l'Iran du chah, où Washington assurait peu à peu la relève de Londres, avaient validé au palais impérial de Saadabad, à Téhéran, un accord d'alliance stratégique, conclu dans les mêmes lieux dès 1935 entre Mustapha Kemal et Reza Pahlevi, bientôt rejoints par le roi Fayçal d'Irak. Cet accord était désormais dirigé à l'extérieur contre la menace soviétique, et à l'intérieur contre les trois subversions kurdes alliées alors de très près au communisme russophile, puisque seuls l'Union soviétique et le mouvement communiste avaient, dès les années 1920, reconnu l'existence d'une nation kurde. Plus tard, les communistes kurdes connaîtront toutes les évolutions possibles, de l'émulation des Khmers rouges chez les partisans d'Öcalan en Turquie, le PKK, jusqu'à la défense de la démocratie laïque en Iran contre Khomeyni – c'était le combat de l'héroïque professeur Ghassemlou, ami de Dubcek à Prague, lorsqu'il y enseignait la littérature persane avant qu'il ne soit assassiné lâchement à Vienne par un commando de pandores organisé par le nouveau président iranien Ahmadi-Nedjad, en passant par le libéralisme pro-américain de Jalal Talabani et Massoud Barzani en Irak, pourtant tous deux issus du Parti communiste irakien.

A présent, il faudrait en effet conclure rapidement un Saadabad 3 pour le début du XXIe siècle (dès que la situation irakienne le permettrait) où, loin d'être une menace, la question kurde deviendrait finalement un atout pour les trois Etats, turc, irakien et iranien, et loin de représenter un danger, la Russie deviendrait un partenaire, notamment en Asie centrale et au Caucase. Les intérêts pétroliers et gaziers de Moscou sont en effet à moyen terme tout à fait convergents avec ceux d'Ankara et de Téhéran : élargir les parts de marché, et non augmenter les prix, et grâce aux accroissements rapides de la production acquérir, surtout en Europe, mais aussi en Inde, une sorte de marché d'acheteurs, protégé à long terme.

La coopération de l'Iran, de la nébuleuse turcophone et de l'Irak conduirait aussi, en termes d'aménagement des territoires, à ranimer énergiquement ces zones économiquement dépressives que sont non seulement les Kurdistans, mais aussi l'Anatolie orientale, peuplée essentiellement de Turcs, l'ensemble caucasien (en partenariat avec la Russie), l'ouest de l'Iran et l'Asie centrale, soit l'ancienne route de la soie, irriguée cette fois-ci par les besoins énergétiques du nouveau marché mondial. Ici, les bénéfices immédiats peuvent s'avérer considérables, voire fabuleux. Les investissements occidentaux, dans cette région stratégiquement fondamentale, seront d'autant plus spectaculaires que l'actuelle crispation nationa-liste russe a exclu pour l'instant les projets ambi-tieux que le patron de Yukos, Mikhaïl Khodor-kovsky, avait cru pouvoir conclure avec les majors anglo-américains, au faîte de l'alliance antiterroriste de Poutine et Bush, après le 11 septembre 2001.

Or, nous pouvons encore gravir <u>un second étage</u> dans notre spirale ascendante, en organisant la complémentarité d'un vaste marché turc lié à l'Europe et des atouts énergétiques de l'Iran. Point n'est besoin en effet de concevoir une candidature iranienne à Bruxelles pour imaginer une grande politique européenne en direction de l'Iran, complémentaire de son action en Turquie.

L'entrée du Mexique dans le grand marché nord-américain (ALENA) nous permet déjà un modèle analogique intéressant : les accords de libre-échange du Mexique avec ses voisins du sud d'Amérique centrale, bientôt avec la Co-lombie et le Venezuela, permettent à ces Etats de fonctionner au contact du marché Etats-Unis/Canada/Mexique/Australie, sans pour autant s'y fondre encore. Ce serait là le modèle pour associer l'Iran et ses satellites, l'Asie centrale et le Caucase au grand marché européen élargi à la Turquie, sans pour autant passer d'emblée par de nouveaux accords exagérément complexes. Mais les projets d'infrastructure que l'Europe devrait, de toute manière, financer en Turquie orientale pour approfondir les accords de libre-échange, bien avant la négociation finale sur l'entrée d'Ankara, ne pourront à terme que s'étendre vers l'Azerbaïdjan et l'Iran lui-même, avant peu. Les compensations souhaitables pour Bruxelles devraient être le statut de client privilégié de l'Iran en matière énergétique, préservé tout à la fois des chantages financiers d'une OPEP reposant sur l'alliance populiste et haussière du Venezuela et de l'Arabie saoudite, et des pressions toujours envisageables d'une Russie incertaine où Gazprom jouit aujourd'hui d'une sorte de monopole en matière gazière sur toute l'Europe centrale et même occidentale. A terme, les besoins d'investissements technologiques de l'Iran, de l'Azerbaïdjan, de la Turkménie et de l'Irak en matière d'hydrocarbures pourraient être en grande partie couverts par un consortium euro-turc, laissant par exemple Américains et Japonais opérer de la même manière en Russie. Après le règlement de la question kurde, la coopération turco-iranienne aboutirait ainsi à une seconde étape : un développement symbiotique et combiné, où Ankara pourra apporter dans la corbeille son accès privilégié au marché européen et le dynamisme de son industrie manufacturière, Téhéran ses ressources et sa population active, jeune et de mieux en mieux formée. (Un tel modèle pourrait aussi fonctionner à plus petite échelle au grand Maghreb, entre Maroc et Tunisie d'une part, Algérie et Libye de l'autre.)

Nous sommes ici partis de l'idée selon laquelle la Russie se montrerait dans la prochaine période plus autarcique, plus refermée sur elle-même. Il n'est pas exclu en effet que le grand bouleversement du monde islamique, la *perestroïka* turco-iranienne se déroule, au moins dans un premier temps, face à une Russie vétilleuse et pleine de ressentiment envers la terre entière. Mais cette posture ne nous semble guère durable : une société moderne a tout de même émergé des vingt dernières années de trouble que le monde russe vient de traverser. Les menaces principales que subit Moscou ne proviennent ni des Ukrainiens ni des Géorgiens avec lesquels les compromis à venir sont inscrits dans l'épaisseur d'une histoire vraiment commune, mais bel et bien de la Chine, sous la forme d'une invasion pacifique de son Extrême-Orient, et des intégristes saoudiens, actifs dans tout le Caucase. Les deux groupes ont pour cible le pétrole russe, chacun à leur manière.

Les seconds, les Saoudiens, ne relâcheront pas comme cela leur pression sur le Caucase à travers les Tchétchènes, alliés stratégiques des talibans afghans et des islamistes d'Ouzbékistan. Les premiers, les Chinois ont pour l'instant choisi la voie de la sagesse, mais les ambitions de Pékin sur les hydrocarbures et le territoire de l'Extrême-Orient russe ne disparaîtront pas comme par enchantement, la volonté chinoise de continuer à disposer d'une carte pakistanaise pour endiguer l'Inde et s'ouvrir une voie maritime la plus courte possible pour l'obtention du pétrole arabe à Gwadar ne diminuera pas non plus tant que cela. C'est là où peuvent converger à terme les intérêts bien compris de la Russie, de la Turquie et de l'Iran : contenir à leur tour, mais sans excès polémique, la montée de la puissance chinoise, empêcher sa jonction avec les intégristes sunnites du Pakistan et de la péninsule arabique (et de la vallée du Nil, depuis la montée des intérêts de Pékin dans le pétrole soudanais), et stabiliser ensemble cette vaste frontière – surface du monde slave-orthodoxe et du monde turco-iranien, trop longtemps abandonnée aux grandes compagnies de coupe-jarrets, cosaques et pandores, bachi-bouzouks bulgares et hamidiehs kurdes. La convergence des deux groupes, orchestrée depuis l'Occident s'il a la lucidité d'y voir l'architrave de l'ordre pacifique de demain, depuis Sarajevo à l'ouest jusqu'à Alma-Ata à la frontière chinoise, peut en définitive assurer enfin l'issue politique de cette poussière de conflits cruels et inutiles, qui s'y déroulent encore, et sécuriser pour longtemps les réserves globales d'hydrocarbures qui permettront à l'Ancien Monde de faire jeu égal avec le Nouveau, ainsi qu'avec le pétrole arabe du golfe Persique. Ce n'est pas d'aujourd'hui que la Russie représente une société orthodoxe slave ayant assimilé à elle un fort apport tatar et musulman, donc turc; ce n'est pas non plus tout récemment que le monde turc a assimilé à son identité une forte composante gréco-slave et circassienne, le plus souvent convertie à l'Islam, mais pénétrée de l'esprit de la chrétienté orthodoxe, comme la mosquée ottomane s'élève sur la structure porteuse d'une basilique byzantine.

La réconciliation de Moscou et d'Istanbul, au nom d'un byzantinisme commun retrouvé, est le pendant d'un retour de la vieille culture perse dans l'aire qui lui est historiquement assignée, depuis Bagdad jusqu'à Samarcande et Boukhara. Ce n'est pas la moindre perspective qu'on puisse espérer de la symbiose turco-iranienne. Sans elle,

Moscou continuera à jouer d'Ankara contre Téhéran et réciproquement, en différant ainsi la véritable réorientation, nécessaire à son occidentalisation véritable : celle-ci repartira plus vigoureuse que jamais le jour même où la frontière méridionale du monde russe sera enfin délivrée des cauchemars du Djihad. Seuls l'Iran et la Turquie ensemble peuvent donner à la Russie cet apaisement. Ils en recueilleront instantanément d'immenses bénéfices.

L'objectif géopolitique ultime se trouve néanmoins sur la frontière sud de l'ensemble turco-iranien où les trois grands Etats sunnites que sont l'Egypte, l'Arabie saoudite et le Pakistan entrent ensemble dans l'œil du cyclone. Chacun de ces trois pays présente des caractéristiques particulières : homogénéité et cohérence de l'Egypte, puissance et capacités d'action du Pakistan, richesse quasi inépuisable de l'Arabie saoudite.

Aujourd'hui, ces trois vecteurs sont rendus inertes par leur séparation matérielle : l'Egypte, cœur de l'islamisme contemporain, est maintenue chez elle par un dictateur débonnaire et vieillissant, Hosni Moubarak, sous lequel pointe un policier démagogue et parfois aventuriste, Omar Souleïman. L'armée pakistanaise est maintenue, à grand-peine, dans sa cage dorée par l'un des siens, Parviz Musharraf, qui refuse pour l'instant l'affrontement avec l'Inde et les Etats-Unis à l'extérieur, avec les forces démocratiques, modernistes et chiites du pays à l'intérieur. Et l'Arabie saoudite contient encore ses véritables aspirations hégémoniques et intégristes, par peur de la famille royale, dans sa majorité, de se voir balayer par la jeune garde islamiste au milieu de ce processus, et la nécessité provisoire d'apaiser la puissance américaine. Mais que deux seulement de ces composants instables entrent en contact, et ils entraînent inévitablement le troisième dans un précipité immédiat : l'Egypte fournit déjà à tout le monde sunnite en fièvre, une intelligentsia intégriste capable et résolue, de Tarik Ramadan en Occident à Ayman Zawahiri, aux côtés de Ben Laden au Pakistan, en passant par le cheïkh Karadawi, depuis son piédestal qatari. Le Pakistan maintient l'arme au pied une puissante armée de type britannique, qui maîtrise tout à la fois la technologie et le renseignement, et se refuse, dans son tréfonds, à la paix avec l'Inde et au verrouillage démocratique de l'Afghanistan qui, tous deux, sonnent à terme le glas de son emprise indirecte sur une société indo-musulmane de 140 millions d'habitants. Déjà les officiers du service secret, l'ISI, se font la main sur les Américains à Fallujah en Irak, puisque Musharraf doit peu à peu les retirer du Cachemire, en vertu de ses premiers accords avec l'Inde.

L'Arabie saoudite profonde, à l'exception sans aucun doute d'un Hedjaz tourné vers la Jordanie hachémite, vit dans l'attente d'un Ben Laden, dont les portraits ornent les murs des appartements les plus huppés de Riyad, ou plutôt dans la réconciliation finale des courageux avant-gardistes d'Al Qaïda avec les islamistes locaux d'inspiration égyptienne et syrienne, et les oulémas wahhabites, sous l'aile de la composante la plus intransigeante de la famille royale, le prince Nayef, depuis longtemps ministre de l'Intérieur, et les siens, pour nommer par son nom l'organisateur des principales campagnes de haine contre les chiites, dans et hors du royaume, et l'inspirateur du soutien officieux de l'Etat saoudien au Djihad irakien.

Ici, le verrouillage sommital par la présence américaine ne suffira pas toujours : Washington n'assure plus qu'une subvention aléatoire à l'Egypte, une présence plus que légère aux côtés des forces armées saoudiennes et une entente ponctuelle et précaire avec la faction la plus modérée de l'armée pakistanaise. Mais à terme le

« containment » de l'intégrisme sunnite passe par la mise en place des puissances stratégiques qui lui sont structurellement hostiles dans la région : l'Inde face au Pakistan, l'Iran face à l'Arabie saoudite, Israël face à une Egypte qui islamiserait non plus seulement sa société mais son Etat et son armée, la Turquie et la Jordanie enfin face à une Syrie qui opterait pour le durcissement djihadiste en Irak, et la dictature sans phrases à l'intérieur. Observons que d'ores et déjà Israël et l'Iran, bien qu'en compétition totale, se trouvent tous les deux disposés à aider l'Inde, qu'Israël et l'Iran se retrouvent encore d'accord pour consolider le nouveau régime irakien. Avec l'ajout de la Turquie à cette coalition en pointillés, la boucle est définitivement bouclée, et le salafisme arabo-pakistanais enfin contraint à la défensive.

Mais il nous faut revenir, pour conclure, à l'équation de base de toute cette problématique que nous venons de dévider : l'épanouissement, enfin, d'une puissante démocratie islamique, installée sur le terrain solide d'une civilisation commune, celle de la « Perside » [1], pour reprendre

---

1. A laquelle se rattachent aujourd'hui Turquie, Albanie, Iran, Irak, Azerbaïdjan, Turkménie, Ouzbékistan, Tadjikistan, Afghanistan ainsi que les deux provinces occidentales non indiennes du Pakistan, Baloutchistan et la province du nord-ouest Pathane.

le néologisme admirable de Michael Barry. Trois grands moments d'insurrection éthique jalonnent cette histoire à l'époque contemporaine : la révolution libérale et parlementaire turco-iranienne de 1906-1908, qui débute contre toute attente à Téhéran avant d'atteindre Istanbul deux ans plus tard, et s'effondre dans la catastrophe géopolitique de 1914, dont le génocide arménien de 1915 sera le point le plus bas. Le sauvetage ensuite de cette révolution manquée par la combinaison de deux despotismes éclairés radicaux, tournés vers un avenir laïque et même féministe : celui de Mustapha Kemal et celui de Reza Khan. Les acquis de cette période de reconstruction éthique sont encore à ce jour perceptibles, malgré l'érosion apparente de la société moderne en Turquie, la contre-révolution du clergé en Iran. Pourtant, les élites des deux sociétés demeurent à ce jour totalement acquises à cette modernité des années 1920-1930. Le troisième moment, celui de la gauche émancipatrice, alliée du communisme, ne tient, en revanche, aucune de ses promesses, ni dans la brève expérience de Mossadegh en Iran, qui, une nouvelle fois, inaugure ce moment en précédant la Turquie, ni dans la rectification néo-kémaliste de la Turquie des années 1960 favorable à la gauche nationaliste, et pas davantage dans le bouillonnement kurde marxiste de ces mêmes années. Or, n'est-ce pas précisément maintenant où l'Islam traditionnel, humilié par ces trois moments : « Jeune-Turc et constitutionnel-iranien » (1906-1923), « kemaliste-pahleviste » (1922-1945), « mossadeghiste et socialisant » (1950-1975), montre sa capacité de résistance civilisationnelle, que l'heure paradoxale de l'épanouissement démocratique est enfin venue ?

Les jeunes de Téhéran qui rêvent de Los Angeles – cette seconde capitale virtuelle de la modernité iranienne – et les jeunes d'Istanbul qui s'enthousiasment pour l'Europe, peuvent enfin espérer parvenir à leurs fins parce qu'à Bagdad, des ayatollahs en noir, si proches de ceux de Qôm, ont jugulé, mieux que les marines (mais avec eux, tout de même), la cruauté sanguinolente d'Al Qaïda et de ses sbires ; et à Istanbul, les jeunes, les femmes et les entrepreneurs doivent remercier les bazaris de la province anatolienne profonde et leurs épouses enfoulardées : parce que ces hommes, autrefois intégristes eux aussi, ont fini par choisir la vie et l'avenir, par leur choix de l'Europe tout de même, et en se confiant pour y accéder aux habituels réseaux juifs et franc-maçons d'amis de la Turquie, qu'ils dénonçaient tant naguère.

Quelle leçon de politique pratique ne subissons-nous pas tous les jours? Le grand vent de l'histoire apporte sa nuée d'innovation et libère des énergies nouvelles qui n'avaient pas encore vu le jour. La porte de l'*Ijtihad*, la porte de la liberté du commentaire, est à présent bien ouverte.

Le dernier tableau de la grande salle d'apparat du palais impérial de Niavaran à Téhéran est bien étonnant : il présente la Mosquée Bleue d'Istanbul, Sultan Ahmet, nimbée des lueurs roses d'un couchant apparent qui n'est peut-être aussi que l'aube, car cette lumière se reflète à y regarder de plus près à partir de l'est dans le tableau, d'Anatolie donc, de Roumi et de Yünüs Emre, même si la scène fut peinte par le français Jules Noël vers 1860 dans une tonalité tout à fait occidentaliste, presque une gouache napolitaine. La lumière de l' « Indique Orient » pointe ainsi vers l'ouest à Istanbul, tout en conservant le grain du Levant, du Machrek, de la sagesse soufie : c'est la lumière de la liberté méditée, celle de l'éternelle révolte chiite contre l'injustice et le décret du destin. Cette révolte, douce comme l'illustration du *Shah nameh* que conserve le musée de Topkapi, méditative comme les portraits de Reza Abbasi, le Bellini de la peinture de Perse, se drape dans la subtilité grecque de Sinan, le plus grand architecte de toute l'histoire de l'Islam, au cœur de la Renaissance ottomane, dont la Mosquée Bleue est le chef-d'œuvre. Et elle nous dit, la lumière est à l'Est, la liberté à l'Ouest, celle qui est célébrée conjointement sur le quatrième pilier de la Mosquée Bleue consacré à Ali, Hussein et aux martyrs d'*Al Ahl Beït*, les chiites toujours. Elle nous dit aussi que c'est à la Mosquée Bleue où tous les courant libérateurs de l'Islam sont venus confluer, chiites et soufis sunnites, Beqtashis et oulémas éclairés d'antan, héritiers du moutazilisme, que la quête d'une liberté musulmane a enfin trouvé son lieu, grec certes, mais puissamment original tout autant. A l'autre extrémité de la Perside, la mosquée de l'imam Reza, à Machad, et les deux grandes mosquées sunnites sœurs de Samarcande et de Hérat balisent l'autre frontière de ce monde, aux confins de la Chine et de la Steppe, dont la peinture, inspirée initialement de l'Extrême-Orient si proche, a libéré le pinceau et l'esprit des grands miniaturistes. Sur cette scène grandiose se joue aujourd'hui l'une des réinventions majeures de la liberté humaine, aux côtés de la liberté des Grecs et des Juifs, celle de l'Occident, de la liberté confucéenne, celle de l'Asie, et de l'antique et toute récente liberté d'une Afrique, encore humiliée et bafouée. Ce quatrième pilier, c'est le pilier turco-iranien de l'Islam émancipé et libérateur, qui a retrouvé peu à peu, sans tragédies publiques ou privées, les harmonies majeures de la tolérance achéménide et du sécularisme ottoman. Ne manquons pas de le consolider de toutes nos forces, ce pilier tout entier tendu vers l'Ouest et le Nord, depuis Istanbul, en perpétuel face à face avec Venise sa fille, jusqu'à Téhéran qui semble sans cesse gravir un palier plus élevé dans la montagne, pour mieux dominer les dangers récurrents du désert, rempli de mirages. Oui, nous avons bien un rendez-vous urgent avec cet Islam, pour engager le dialogue avec tous les autres.

Certes, le choix à assumer est ici décisif. Nous sommes, en cette fin d'année 2005, parvenus à un carrefour extrêmement périlleux : la série des votes négatifs engrangés dans le processus de ratification de la Constitution européenne n'a pas totalement interrompu le processus de négociation avec la Turquie, mais, incontestablement, a éloigné l'échéance d'une intégration, sans doute plus difficile que jamais. La victoire affligeante d'Ahmadi-Nedjad repousse, là aussi de quelques temps, l'aménagement pourtant nécessaire, de la posture internationale et de l'équilibre national de l'Iran. Malgré de grands progrès démocratiques intervenus en Afghanistan, en Irak, au Liban et même en Palestine, la précarité des équilibres du Moyen-Orient est patente. Et la hausse des prix des hydrocarbures, qui semble pouvoir s'étaler dans la longue durée commence à s'aigrir : à ses débuts, elle allégeait certaines tensions sociales et favorisait en Arabie saoudite notamment, certaines solutions de modération. A présent, elle commence à regarnir les coffres de la subversion salafiste ici, à faire rêver d'autarcie anti-occidentale là.

Cette mauvaise conjoncture peut-elle aller jusqu'à bouleverser la structure actuelle du Moyen-Orient en provoquant une véritable mutation qualitative ? Nous ne le pensons pas. Mais, pour cela, envisageons un instant le pire : le modèle de cette crise globale nous livrera la clef de son impossibilité logique. Dans cette hypothèse, l'élection d'Ahmadi-Nedjad à Téhéran aurait ouvert la boîte de Pandore, ou plutôt des Pandores : montée vers l'affrontement de l'Iran et des

Etats-Unis, scission du bloc chiite irakien, avec cette fois-ci un appui décisif des services secrets des Pasdarans en faveur de Moktada Sadr à Bagdad, une remise en cause par le Hezbollah libanais de son compromis avec la coalition Hariri et une reprise des provocations anti-israéliennes à la frontière méridionale, une coopération couverte mais effective de l'Iran avec Al Qaïda, une révolte militaire au Pakistan contre les concessions de Musharraf à l'Inde, appuyée en sous-main par la Chine, une victoire du prince Nayef en Arabie saoudite, le pétrole, enfin, à 120 dollars le baril.

Observons tout d'abord qu'un tel enchaîne-ment ne ferait en rien les affaires véritables de la Chine : plus que tout autre pays industrialisé, elle serait frappée de plein fouet par la hausse des hydrocarbures, et reprendrait de volée l'impact de la récession américaine et européenne, tout en voyant ses avoirs en dollars réduits par la baisse inévitable de la devise américaine qu'induirait sans aucun doute cette catastrophe géopolitique. Il semble donc qu'on ne pourra pas compter sur la Chine, pour la totalité de ce processus, alors que l'intérêt stratégique fondamental de Pékin, quelles que soient les dénégations de Hu Jintao à usage intérieur, demeure le maintien d'une économie ouverte et du degré actuel de mondialisation, en accord avec Washington. La Chine est ici un tigre en papier.

Il y a ensuite un peu plus loin de la coupe aux lèvres qu'il n'y paraît. Même si le pouvoir d'Etat à Bagdad est aujourd'hui encore faible et militairement inapte, il n'en est pas moins très légitime aux yeux de la grande majorité des chiites irakiens, et unanimement soutenu par les peshmergas kurdes, qui, eux, sont un facteur militaire réel. En outre, l'unanimité n'existe évidemment pas, ni à Téhéran, ni même à Qôm, pour opérer le sacrifice des positions chèrement acquises par le chiisme arabe au profit essentiel des confréries sunnites intégristes : les Frères musulmans égyptiens et syriens, la coterie des oulémas saoudiens, la nébuleuse Al Qaïda, pour ne pas faire mention de ce qui reste des talibans pathans. Un coup d'accélérateur brutal de l'état-major des pasdarans et des services spéciaux de la Brigade Al Quds, qui se cachent à peine derrière la frêle stature et la mauvaise dentition d'Ahmadi-Nedjad, et c'est toute la structure, encore militaire, du pouvoir islamiste en Iran, qui se lézarde pour de bon. Là encore, tout comme la Chine, l'Iran a besoin de maintenir une certaine ambiguïté de sa démarche, vers un point d'équilibre, ni paix, ni guerre, qui seule peut lui convenir pour l'instant.

Mais surtout, un tel renversement signifierait le sacrifice sans contrepartie des alliances et des sous-alliances actuelles d'un Iran en voie de modération : ses deux alliés fondamentaux en matière nucléaire (outre l'Afrique du Sud de Nelson Mandela qui l'aura puissamment aidé au départ en 1993-1994) sont la Russie et le Pakistan, alors démocratiques de Boris Eltsine et de Benazir Bhutto, elle-même femme de gauche chiite modérée. Or la Russie se raidira dès lors que Téhéran se retrouvera dans le même camp que les insurgés tchétchènes et le Pakistan militaire anti-chiite n'a plus jamais collaboré au même degré avec le programme nucléaire iranien comme l'avait fait, en son temps, le régime semi-démocratique de Benazir.

Rien n'empêche, dans ces conditions, que des sanctions très lourdes soient alors prises par un Occident dont l'unité se serait reconstituée dans l'épreuve, voire par un Conseil de sécurité où Prusses, puis Chinois, cesseraient de défendre leur partenaire, qu'est l'Iran pragmatique actuel, précisément parce qu'il se maintient sur une position intermédiaire et ambiguë.

En somme, l'hypothèse la plus catastrophique

comporte trop d'éléments mutuellement incompatibles pour ne pas se détruire d'elle-même. Il en irait de même d'une coalition instable d'intégristes sunnites et d'Alaouites intransigeants en Syrie, bien qu'elle soit désirée par le ministre de l'Intérieur Gazi Kanaan et son ancien subordonné au Liban Rustam Gahzani.

Ceci signifie que l'Iran, tout comme la Turquie en matière européenne, entre à présent dans une lente, inexorable et indécise guerre de positions, dont l'issue sera tout un temps en balance, mais le dynamisme, sans conteste, dans le sens d'une réconciliation avec l'Occident, l'Inde, la Russie et même les modérés saoudiens. Une provocation brutale de l'extrême droite pourrait même, tout comme dans la Chine de Mao, accélérer in fine la dynamique de cette réconciliation, à Téhéran à tout le moins.

Nous voici parvenus au terme de ce parcours de « l'arc de crise » qu'avait isolé Zgbiniew Brzezinski à la fin des années 1970, et qui le redevient encore par bien des aspects : Turquie, Iran, Afghanistan, Asie centrale, Caucase, Irak et Syrie sont encore agités de puissants mouvements contradictoires. Mais la direction générale est, à présent, repérée : elle est l'inverse de celle, destructrice, de 1979-1980, avec un progrès démocratique foudroyant en Turquie, dopé par la candidature d'Ankara à l'Europe, une crise socio-politique lancinante en Iran, accélérée paradoxalement par l'engagement international croissant de Téhéran, une dure bataille pour la démocratie qui, peu à peu, engrange des succès en Afghanistan, en Irak et à présent au Liban. Vingt ans plus tôt, l'Afghanistan était avalé et foulé au pied par la défunte Union soviétique, les intégristes triomphaient peu à peu à Téhéran sous le choc de l'agression baasiste de Saddam Hussein, la Syrie étendait son empire au Liban et sa dictature à l'intérieur et la Turquie repassait une nouvelle fois sous la coupe de son armée, tandis que les Kurdes s'insurgeaient, guidés par l'atroce PKK d'Öcalan. En Union soviétique les chauvins grands-russes opprimaient les Turcophones et menaçaient directement le grand Haïdr Aliev, privé à partir de 1985 du patronage de Youri Andropov. Cette simple énumération nous donne quelque idée du réel progrès, où malgré tout nous sommes déjà parvenus. Encore un effort et le barrage des despotismes associés cédera totalement.

Ce sera alors l'heure de notre rendez-vous avec l'Islam, d'abord à Ankara, à Téhéran, à Bagdad et à Damas, et tout cela, grâce à l'existence précieuse et irremplaçable d'Istanbul et de sa puissance civilisatrice vieille des cinq derniers siècles. Décidément, Mao avait une fois de plus tort : « Le vent d'Ouest est plus fort que le vent d'Est. »

Le lecteur aura pourtant observé que nous ne répondons jamais ici aux trois questions fondamentales qui se posent aujourd'hui :

— Oui ou non, la Turquie parviendra-t-elle, dans une dizaine d'années, à s'arrimer à la construction européenne ?

— Oui ou non, la société de plus en plus moderne et potentiellement démocratique de l'Iran sera-t-elle parvenue à imposer, pacifiquement ou non, les changements décisifs des bases du régime de Téhéran (ou plutôt de Qôm) ?

— Oui ou non, les chiites d'Irak et du Liban, alliés aux forces libérales sunnites et chrétiennes de la région, seront-ils parvenus à faire régner peu à peu un authentique climat pluraliste qui les conduise peu à peu, là aussi, vers une démocratie complète ?

A des réponses par trop tranchées et trop tributaires, dans chacun des trois cas, de notre désir profond d'y répondre par l'affirmative, nous aurons préféré ici tracer des chemins forestiers, repérer des embranchements, isoler des invariants. Mais l'avenir seul pourra nous dire si la confiance profonde que nous mettons dans l'évolution civilisatrice de ce monde turco-iranien, fondamental à l'équilibre de notre planète, demeurera seulement une idée régulatrice pour le temps long, ou l'explosive actualité de notre prochaine crise géopolitique, cette crise imminente et globale du vieil ordre islamique. N'oublions pas là le mot si profond de Keynes : *« In the long term we are all dead. »*

TABLE

Le cœur blessé de l'Islam.   17

L'Iran.   77

La Turquie 151

L'Islam du Prophète 201

COLLECTION « PLURIEL »

ACTUEL

ACHACHE José
Les sentinelles de la Terre

ADLER Alexandre
J'ai vu finir le monde ancien
Au fil des jours cruels
L'Odyssée américaine

ATTIAS Jean-Claude,
BENBASSA Esther
Les Juifs ont-ils un avenir ?

BACHMANN Christian,
LE GUENNEC Nicole
Violences urbaines

BARBER Benjamin R.
Djihad versus McWorld
L'Empire de la peur

BEN-AMI Shlomo
Quel avenir pour Israël ?

BURGORGUE-LARSEN Laurence,
LEVADE Anne,
PICOD Fabrice
La Constitution européenne expliquée
au citoyen

BRZEZINSKI Zbigniew
Le Grand Échiquier

BURGEL Guy
La Ville aujourd'hui

COHEN Daniel
La Mondialisation et ses ennemis

COLLECTIF
Le Piège de la parité

DAVIDENKOFF Emmanuel
Peut-on encore changer l'école?

DELUMEAU Jean
Un Christianisme pour demain

ÉTIENNE Bruno,
LIOGIER Raphaël
Être bouddhiste en France aujourd'hui

FAUROUX Roger,
SPITZ Bernard
Notre État

GLUCKSMANN André
De Gaulle, où es-tu ?
Ouest contre Ouest
Le Discours de la haine

GRESH Alain
Israël-Palestine

GRESH Alain,
VIDAL Dominique
Les Cent Clés du Proche-Orient

JADHAV Narendra
Intouchable

KAGAN Robert
La Puissance et la Faiblesse

LAÏDI Zaki
Un monde privé de sens

LE BONNEC Yves,
SAULOY Mylène
À qui profite la cocaïne ?

LENOIR Frédéric
Les Métamorphoses de Dieu

MINCES Juliette
Le Coran et les femmes

PROLONGEAU Hubert
Sans domicile fixe

RAMBACH Anne,
RAMBACH Marine
Les Intellos précaires

RENAUT Alain
La Libération des enfants

ROY Olivier
Généalogie de l'islamisme
La laïcité face à l'islam

ROY Olivier,
ABOU ZAHAD Mariam
Réseaux islamiques

SALAS Denis
Le Tiers Pouvoir

SMITH Stephen
Négrologie
Oufkir, un destin marocain

STRAUSS-KAHN Dominique
La Flamme et la Cendre

TISSERON Serge
L'Intimité surexposée

TRAORÉ Aminata
Le Viol de l'imaginaire

URFALINO Philippe
L'Invention de la politique culturelle

VIROLE Benoît
L'Enchantement Harry Potter

WARSCHAWSKI Michel
Sur la frontière

WIEVIORKA Michel
La tentation antisémite

HISTOIRE

ADLER Laure
Les Maisons closes
Secrets d'alcôve

AGULHON Maurice
De Gaulle. Histoire, symbole, mythe
La République (de 1880 à nos jours)
t. 1 : *L'Élan fondateur et la grande blessure*
(1880-1932)
t. 2 : *Nouveaux drames et nouveaux espoirs*
(de 1932 à nos jours)

ALEXANDRE-BIDON Danièle,
LETT Didier
Les Enfants au Moyen Âge

ANATI Emmanuel
La Religion des origines

ANDREU Guillemette
Les Égyptiens au temps des pharaons

BALLET Pascale
La Vie quotidienne à Alexandrie

BANCEL Nicolas,
BLANCHART Pascal,
VERGÈS Françoise
La République coloniale

BARTOV Omer
L'Armée d'Hitler

BEAUFRE Général
Introduction à la stratégie

BÉAUR Gérard
La Terre et les hommes. Angleterre
et France aux XVIIᵉ et XVIIIᵉ siècles

BECHTEL Guy
La Chair, le diable et le confesseur

BECKER Annette
Oubliés de la Grande Guerre

BENNASSAR Bartolomé,
VINCENT Bernard
Le Temps de l'Espagne, XVIᵉ-XVIIᵉ siècles

BENNASSAR Bartolomé
L'Inquisition espagnole, XVᵉ-XIXᵉ siècles

BERCÉ Yves-Marie
Fête et révolte. Des mentalités populaires
du XVIᵉ au XVIIIᵉ siècles

BERNAND André
Alexandrie la grande
Sorciers grecs

BLUCHE François
Le Despotisme éclairé
Louis XIV

BOLOGNE Jean Claude
Histoire de la pudeur
Histoire du mariage en Occident

BOTTÉRO Jean
Babylone et la Bible

BOTTÉRO Jean,
HERRENSCHMIDT Clarisse,
VERNANT Jean-Pierre
L'Orient ancien et nous

BRANTHOMME Henry,
CHÉLINI Jean
Histoire des pèlerinages non-chrétiens
Les Chemins de Dieu

BREDIN Jean-Denis
Un tribunal au garde-à-vous

BROSSAT Alain
Les Tondues, un carnaval moche

BRULÉ Pierre
Les femmes grecques

CAHEN Claude
L'Islam, des origines au début de l'empire
ottoman

CAMPORESI Piero
Les Baumes de l'amour

CARCOPINO Jérôme
Rome à l'apogée de l'Empire

CARRÈRE D'ENCAUSSE Hélène
Catherine II
Lénine
Nicolas II

CHAUNU Pierre
Le Temps des réformes
3 Millions d'années, 80 milliards de
destins
Histoire des élites en France, du XVIᵉ au
XXᵉ siècle

CHÉLINI Jean
Histoire religieuse de l'Occident médiéval

CHOURAQUI André
Jérusalem

CIZEK Eugen
Mentalités et institutions politiques
romaines

CLOULAS Ivan
Les Châteaux de la Loire au temps
de la Renaissance

DARMON Pierre
Le Médecin parisien en 1900

DAUMAS Maurice
La Tendresse amoureuse

DELUMEAU Jean
La Peur en Occident
Rome au XVIe siècle
Une histoire du paradis
t. 1 : *Le Jardin des délices*
t. 2 : *Mille ans de bonheur*
t. 3 : *Que reste-t-il du paradis ?*

DUBY Georges
Le Chevalier, la femme et le prêtre
Le Moyen Âge (987-1460)

DUCELLIER Alain
Le Drame de Byzance. Idéal et échec d'une société chrétienne

DUCREY Pierre
Guerre et guerriers dans la Grèce antique

DUPÂQUIER Jacques,
KESSLER Denis
La Société française au XIXe siècle

DUROSELLE Jean-Baptiste
L'Europe, histoire de ses peuples

EISEN Georges
Les Enfants pendant l'Holocauste

EISENSTEIN Elizabeth L.
La Révolution de l'imprimé

EPSTEIN Simon
Histoire du peuple juif au XXe siècle

ESPRIT
Écrire contre la guerre d'Algérie (1947-1962)

ÉTIENNE Bruno
Abdelkader

FAURE Paul
Parfums et aromates dans l'Antiquité

FAVIER Jean
De l'or et des épices

FERRO Marc
Le Livre noir du colonialisme
Nazisme et communisme
Pétain

FINLEY Moses I.
On a perdu la guerre de Troie

FOURASTIÉ Jean
Les Trente Glorieuses

FROMKIN David
Le dernier été de l'Europe

FRUGONI Chiara
Saint François d'Assise

FURET François,
NOLTE Ernst
Fascisme et communisme

FURET François
La Gauche et la Révolution au XIXe siècle
La Révolution (1770-1880)
t. 1 : *La Révolution française, de Turgot à Napoléon (1770-1814)*

t. 2 : *Terminer la Révolution, de Louis XVIII à Jules Ferry (1814-1880)*

FURET François,
RICHET Denis
La Révolution française

FURET François,
JULLIARD Jacques,
ROSANVALLON Pierre
La République du centre

GARIN Eugenio
L'Éducation de l'homme moderne (1400-1600)

GERVAIS Danièle
La Ligne de démarcation

GIRARD Louis
Napoléon III

GIRARDET Raoul
Histoire de l'idée coloniale en France

GOUBERT Pierre
Initiation à l'histoire de la France
L'Avènement du Roi-Soleil
Louis XIV et vingt millions de Français

GRANDAZZI Alexandre
La Fondation de Rome

GRAS Michel,
ROUILLARD Pierre,
TEIXIDOR Xavier
L'Univers phénicien

GRIMAL Pierre
Les Erreurs de la liberté

GUICHARD Pierre
Al-Andalus (711-1492). Une histoire de l'Andalousie arabe

GUILAINE Jean
La Mer partagée

GUILLERMAZ Jacques
Une vie pour la Chine. Mémoires, 1937-1993

GUTTON Jean-Pierre
La Sociabilité villageoise dans la France d'Ancien Régime

HALÉVY Daniel
La Fin des notables
t. 1 : *La Fin des notables*
t. 2 : *La République des ducs*
Visite aux paysans du centre

HAZARD Paul
La Pensée européenne au XVIIIe siècle

HEERS Jacques
Esclaves et domestiques au Moyen Âge
Fête des fous et carnavals
La Cour pontificale au temps des Borgia et des Médicis
La Ville au Moyen Âge en Occident

HOBSBAWM Eric J.
L'Ère des Révolutions (1789-1848)
L'Ère du Capital (1848-1875)

L'Ère des Empires (1875-1914)

HORNUNG Erik
L'Esprit du temps des pharaons

JERPHAGNON Lucien
Histoire de la Rome antique
Les dieux ne sont jamais loin

JOMINI (de) Antoine-Henri
Les Guerres de la Révolution (1792-1797)

JOXE Pierre
L'Édit de Nantes

KRIEGEL Maurice
Les Juifs à la fin du Moyen Âge dans l'Europe méditerranéenne

LABY Lucien
Les Carnets de l'aspirant Laby

LACARRIÈRE Jacques
En cheminant avec Hérodote

LACORNE Denis
L'Invention de la République

LE BRIS Michel
D'or, de rêves et de sang

LEBRUN François
Histoire des catholiques en France

LE GOFF Jacques
La Bourse et la vie

LE ROY LADURIE Emmanuel
L'État royal (1460-1610)
L'Ancien Régime (1610-1770)
t. 1 : *L'Absolutisme en vraie grandeur (1610-1715)*
t. 2 : *L'Absolutisme bien tempéré (1715-1770)*

LINDENBERG Daniel
Destins marranes

MALET-ISAAC
Histoire
t. 1 : *Rome et le Moyen Âge (735 av. J.-C.-1492)*
t. 2 : *L'Âge classique (1492-1789)*
t. 3 : *Les Révolutions (1789-1848)*
t. 4 : *La Naissance du monde moderne (1848-1914)*

MANDROU Robert
Possession et sorcellerie au XVIIe siècle

MASSON Philippe
Histoire de l'armée allemande

MAUSS-COPEAUX Claire
Appelés en Algérie. La Parole confisquée

MELCHIOR-BONNET Sabine
Histoire du miroir

MILO Daniel
Trahir le temps

MOREAU Jacques
Les Socialistes français et le mythe révolutionnaire

MOSSE George L.
De la Grande Guerre au totalitarisme

MUCHEMBLED Robert
L'Invention de l'homme moderne

NEVEUX Hugues
Les Révoltes paysannes en Europe (XIVe-XVIIe siècle)

NOIRIEL Gérard
Réfugiés et sans-papiers

NOLTE Ernst
Les Mouvements fascistes

PELIKAN Jaroslav
Jésus au fil de l'histoire

POMEAU René
L'Europe des Lumières

POURCHER Yves
Les Jours de guerre

POZNANSKI Renée
Les Juifs en France pendant la Seconde Guerre mondiale

RANCIÈRE Jacques
La Nuit des prolétaires

RAUSCHNING Hermann
Hitler m'a dit

REVEL Jacques
Fernand Braudel et l'histoire

RICHÉ Pierre
Les Carolingiens

RIOUX Jean-Pierre
De Gaulle
La France d'un siècle à l'autre (2 vol.)

RIVET Daniel
Le Maghreb à l'épreuve de la colonisation

ROBERT Jean-Noël
Eros romain

ROTH François
La Guerre de 1870

ROUSSET David
Les Jours de notre mort
L'Univers concentrationnaire

ROUX Jean-Paul
Les Explorateurs au Moyen Âge

SALLES Catherine
La Mythologie grecque et romaine

SHIRER William
La Chute de la IIIe République

SINGER Claude
Vichy, l'Université et les Juifs

SNODGRASS Anthony
La Grèce archaïque

SOLÉ Jacques
L'Âge d'or de la prostitution, de 1870 à nos jours

SOLER Jean
L'Invention du monothéisme
t. 1 : *Aux origines du Dieu unique*
t. 2 : *La Loi de Moïse*
t. 3 : *Sacrifices et interdits alimentaires dans la Bible*

SOUSTELLE Jacques
Les Aztèques à la veille de la conquête espagnole

STORA Benjamin,
HARBI Mohammed
La Guerre d'Algérie

STORA Benjamin
Messali Hadj

THIBAUDET Albert
La République des Professeurs suivi de *Les Princes lorrains*

TROCMÉ Étienne
L'Enfance du christianisme

TULARD Jean
Napoléon

VALENSI Lucette
Venise et la Sublime Porte

VALLAUD Pierre
Atlas historique du xxe siècle

VERDON Jean
La Nuit au Moyen Âge
Le Plaisir au Moyen Âge

VERNANT Jean-Pierre
La Mort dans les yeux

VEYNE Paul
Le quotidien et l'intéressant

VIANSSON-PONTÉ Pierre
Histoire de la République gaullienne
t. 1 : *La Fin d'une époque : mai 1958-juillet 1962*
t. 2 : *Le Temps des orphelins : août 1962 - avril 1969*

WEBER Eugen
L'Action française

WEIL Georges
Histoire de l'idée laïque en France au xixe siècle

WIEVIORKA Annette
Déportation et génocide
L'Ère du témoin
Auschwitz

Imprimé en Espagne par LIBERDUPLEX (Barcelone)
HACHETTE LITTÉRATURES – 31 rue de Fleurus – 75006 Paris
Collection n° 25 – Édition 01
Dépôt légal : 81339-02/07